JN094261

天国と地獄に向かう世界

習近平のおかげで日本は安泰か

髙橋洋一
Takahashi Yoichi

石平
Seki Hei

ビジネス社

はじめに――2021年、天国と地獄の岐路に立つ世界と日本

尊敬する髙橋洋一先生との2冊目の対談本が2020年の年末に刊行される運びとなった。今から振り返ってみれば、2020年という年はおそらく、後世の人々に長く記憶されていく歴史の節目の年であると思う。この1年間、今後の世界史に記されるべき重大な出来事がいくつも起きているからである。

まずは新年の1月早々から、中国武漢発のコロナウイルスが中国全土と世界各地に感染拡大を起こし、地球上で猛威を振るった。この原稿を書いている11月28日現在、世界全体の感染者数が優に6100万人を超えて、死亡者数は144万人にも上った。コロナ禍のもたらす経済的損失も甚大であって世界各地で企業の倒産や失業の拡大が日常茶飯事となった。ある意味ではこの地球上で生きている人々のすべてが、何らかの形でコロナ禍の犠牲者となっているはずである。

この年の6月末にはまたもや、歴史に残る衝撃的な出来事が起きた。中国政府は「香

港国家安全維持法」という恐ろしい「法律」を制定して香港の人々に押し付けた。これで香港という国際都市は中国警察の完全支配下に置かれることになり、法治体制が破壊されて自由と人権を奪われることとなった。香港は徐々にその国際金融センターと自由貿易港としての機能を失っていき、やがて確実に香港は殺されていくのである。「香港国家安全維持法」が施行され始めた6月30日は今後、「香港の命日」として世界史に記録されることであろう。

そして2020年の11月3日には、4年に1度のアメリカ大統領選挙が行われた。しかし選挙が終わって数週間が経った11月下旬になっても、トランプ・バイデン両候補のどちらが勝ったかについての最終決着がついていない。このような前代未聞の事態の発生は選挙戦の激しさを表しているが、さまざまな意味において、どちらが勝つかという選挙の結果によってアメリカの運命と世界の運命が大きく左右されるのであろう。

このように、現代を生きているわれわれは図らずも、大波乱と激動の2020年を体験することになったが、ここからの大問題は、すなわちわれわれの生きるこの世界は今後いったいどこへ向かうのか、である。

この大問題を考えるに当たり、上述した2020年の3つの出来事は大きな意味を持つこととなろう。世界史に残るこの3つの出来事は、今後の世界の方向性を予示するのに十分な重みがあるからである。

しかもよく考えてみれば、この3つの出来事の2つは、まさに「中国」に由来するものであることがわかる。世界を席巻したコロナ禍は紛れもなく中国から発生したものであり、香港に「死」を宣告した「国家安全維持法」もまさに中国政府が制定して香港に押し付けたものである。

この2つの出来事が象徴しているように、いまの世界では、共産党一党独裁制を堅持する全体主義の中国こそが、地球にとっての禍の元であり、世界の平和と秩序を壊すともに、われわれが大事にしている自由と人権擁護の価値観の破壊者である。そしてこの中国は、着々と習近平独裁体制の下で軍備拡大を推進し、南シナ海や東シナ海などで軍事的拡張を突き進めている最中である。

こうしてみると、今後このような中国にどう対処していくのかは、まさにわれわれの自由世界が抱える最大の課題である。もちろん、この中国の脅威に対し、正しく対処できるかどうかは人類の運命の分岐点ともなるであろう。

もしわれわれの自由世界が一致団結し、中国の覇権主義に立ち向かってその軍事的拡張を封じ込めることができていたら、そして中国的全体主義の増長を押さえつけてわれわれの価値観を守ることができていたら、人類の向かうところは天国であり楽園であるはずである。しかし反対に、もし「中国」への対処に失敗し、われわれの世界が中華帝国主義によって支配されるようなことになれば、われわれに待ち構えているのはもはや地獄でしかない。ある意味では、２０２１年からのこの数年間こそ、天国へ向かうのか地獄へ向かうのか、人類にとっての分かれ道となるのである。

ならばいまこそ、「中国の脅威」への対処法をきちんと考えなければならない大事な時期となろうが、２０２０年10月と11月、私と髙橋洋一先生が渾身(こんしん)の力を込めて数回にわたって対談して刊行した本書は、まさにこのような切実な問題意識を持って熱い議論を交わしたことの結晶である。そしてそれは、中国情勢と世界情勢に対するわれわれの冷徹な分析をもとに、日本を含めた世界の進路にささやかな提言や提案を行ったものである。

その中身がいかほどのものかは読者の皆様の読む楽しみにしておくが、今後の世界は前途が多難でありながら未来はいたって明るい、というのがわれわれの共通した認識である。要は、読者の皆様も含めたわれわれ自由世界の住人たちが今後、きちんと問題意識を持って行動するかどうかにかかっている。

そういう意味では、私たちの知的作業の結晶である本書が、読者の皆様に今後を考えるための指標となればこれほど幸せなことはない。言論人冥利に尽きるというものである。

そして最後に、私としては、常に大所高所から日本の進路や世界の趨勢を考える大家の髙橋洋一先生に心からの御礼を申し上げたい。また、本書を手にとっていただいた読者の皆様にはただひたすら、衷心より感謝を申し上げたい。

令和2年11月末　奈良市内「独楽庵」にて

石　平

天国と地獄に向かう世界

目次

はじめに――2021年、天国と地獄の岐路に立つ世界と日本 3

第1章 中国が功労者、世界を主導する日本外交

日本主導で成立した初の安保戦略「Ｑｕａｄ」 18
Ｑｕａｄ同盟成立の最大の功労者は習近平 22
合従連衡の鉄則を無視した欠陥外交 26
想定外だった中印衝突とインドのＱｕａｄ加盟 29
はじめから失敗するのはわかっていた一帯一路とＡＩＩＢ 34
中国で儲けたい経団連の幻想 40

第2章 習近平独裁が与えた日本の幸運

ポスト香港に名乗りをあげた東京、大阪、福岡 46

日本人に感覚が近い香港人を受け入れろ　51
米中新冷戦時代の対立軸と枠組み　54
あり得ない香港国家安全維持法の域外適用という無法　58
戦狼外交で自滅し親中の欧州を敵にまわす　61
日本通の王毅外相が反日になった理由　63
２０２０年７月１日、アメリカは変わった　65
トランプの中国嫌いに強く関与した安倍前首相　68

第３章　コロナ禍の世界、天国と地獄

疫病との闘いに奇跡的な勝利をおさめたという中国の嘘　74
イタリアのコロナ大流行と一帯一路の因果関係　78
日米欧の中央銀行が揃って打った経済対策　80
考えられない米巨大ＩＴ企業の分割・解体　84

ワクチンは新型コロナウイルス問題の切り札にはならない　87
米大統領選の混乱に乗じて台湾を狙う中国　89
Ｑｕａｄにイギリスが加入する可能性　95
習近平のピークは２０１６年だった　97
もしも習近平がゴルフをしていたら世界は変わったのか？　99

第４章　したたかな菅政権の行方

菅首相就任に一番乗りで電話してきた習近平の狙い　104
外交は安倍踏襲だが、内政では独自色を発揮　107
野党とマスコミが否定できない菅政権の政策テーマ　110
『政治家の覚悟』で菅首相から逆襲を食らった毎日新聞　114
派閥に属さない首相の強みと弱み　115
菅内閣・人事の最大のヒットは岸信夫氏の防衛相起用　119

どの国も韓国・文在寅政権は相手にしない　121
官僚が恐れるほどのビジネスライク　126

第5章　内憂しかない中国経済

中国のＧＤＰは大嘘　132
網羅的な失業統計を出さない国は先進国ではない　135
李克強が推奨する「露店経済」で見えた真実　138
中泰証券研究所が発表した衝撃の失業率20・5％　140
中国では本当のことを言うと死刑になる　143
「暴落」という概念がない中国の恐ろしさ　145
崩壊目前か、30年生き延びるか　149
米大統領選と中国延命の関係　152
中国が嘘をついているから、伸びしろが残っているという皮肉　156

第6章　日本は台湾を犠牲にするな

習近平時代を迎え、国際的な評価を一気に低下させた中国　160
台湾を承認する肚のアメリカ　162
対中国最前線、台湾のジレンマ　168
自国以外の紛争には必ず介入してくるアメリカ　170
冷酷な国際社会とアメリカの本音　173
日本の戦略　176

第7章　残酷な中国ビジネスの正体

日本に回帰するビジネス親中の人たち　180
アントの上場中止、解体に向かう「馬雲帝国」　183

大物民間企業家の連行事件が多発 185
髙橋流、尖閣諸島の施政権の示しかた 187
尖閣が日本領土である最大の証拠があった 191
中国が文句をつけにくい墓参り案 194

終章 親中派「バイデン大統領」にどうする日本

習近平のカウンターパートだったバイデン 198
中国による「バイデン買収」疑惑 202
習近平のＴＰＰ参加表明はすべてを中国のルールに変える意思表示 205
懸念材料は「円高」 207
第３次補正は30～40兆円規模にすべき 210

おわりに――20年間、コア・インタレストの獲得を進めてきた中国

217

第1章

中国が功労者、世界を主導する日本外交

日本主導で成立した初の安保戦略「Ｑｕａｄ」

石平　このところ中国に関してもっとも顕著なのは、国際的な孤立といえる。世界のあちこちに喧嘩（けんか）を売っており、四面楚歌（そか）という状況を自ら招いてしまっている。

２０２０年に入ってからは、新型コロナウイルスの件もあって、さらに加速している。周知のとおり、新型コロナウイルスが発生したのは中国の内陸都市の武漢（ぶかん）市で、中国政府がその情報を速やかに開示せず隠蔽（いんぺい）したことで、コロナウイルスを世界に拡散させ、世界は第２次世界大戦以上の惨状を呈することになった。

ところが、現在に至っても中国は詫（わ）びの一言もなく、「新型コロナウイルスは中国から発生したかどうかわからない」と開き直りに終始、責任を決して認めようとはしない。さらに、同コロナウイルスで世界が大混乱に陥ったことに乗じて、中国は火事場泥棒のようにマスク外交を展開したり、不良の医療物資を世界に売りつけたり、南シナ海において拡張的な行動を取ったり、日本に対してはコロナ禍に乗じてほぼ毎日、尖閣諸島への領海侵入を繰り返すなど、信じられないようなふるまいを重ねてきている。

さらに米大統領選の混乱に付け入るように、中国人民解放軍が「戦争準備」の動きを強めている。11月7日に制服組トップの許其亮(きょきりょう)・中央軍事委員会副主席は「受動的な戦争適応から能動的な戦争立案への（態勢）転換を加速する」とし、人民解放軍が積極的に戦争に関与していく方針を示唆した。つまり完全に戦争モードに移行したことを示している。これは、先の10月下旬に開かれた共産党の第19期中央委員会第5回総会（5中総会）で掲げた、軍創設１００年を迎える２０２７年に合わせた「奮闘目標の実現」に呼応したもので、当然習近平(しゅうきんぺい)の意向を強く反映している。

党機関紙・人民日報系の環球時報英語版（電子版）によると、今後の軍事演習では、敵国の空母による南シナ海や台湾海峡の航行阻止を想定し、海軍の潜水艦、空軍の偵察機や戦闘機、ロケット軍の対艦弾道ミサイルが動員されるという。

同時に、人工知能（ＡＩ）などの新技術を使い米軍に勝る兵器を開発するため、軍と民間企業が連携する「軍民融合」がさらに強化される見通しだ。

髙橋　今回私は菅義偉(すがよしひで)政権の内閣参与になったが、第１次安倍(あべ)政権のときにも、内閣参事官として官邸のなかにいた。当時の私は安全保障についての担当ではなかったけれど、隣の部屋が外務省から来た参事官であった。彼との話し合いのなかでたびたび、「セキュリティ・ダイヤモンド」という構想がテーマに挙がった。

「セキュリティ・ダイヤモンド」とは、大摑み（おおづか）にいうと、日本とオーストラリアとインドとアメリカという民主主義の4国で、「中国包囲網」をつくるとする安保戦略構想のことであった。第1次安倍政権のときだから、いまから13、4年前のことだ。

その「セキュリティ・ダイヤモンド」構想のベースになるのが、中国側のコア・インタレスト（核心的利益）獲得への対処策であった。それをほとんど構築したのが、安倍晋三（しんぞう）首相（当時）である。故に、これはあまり知られていないことだが、安倍首相の外交日程は、セキュリティ・ダイヤモンドに沿って立てられていた。

ところが、安倍首相の突然の辞任のため、セキュリティ・ダイヤモンドの話はまったく具体化せずに頓挫（とんざ）をみた。第1次政権のときには、安倍首相はアメリカとインドには訪れたものの、オーストラリアには行けなかった。訪印後、安倍首相が体調を崩し、入院したのを覚えている人も多いだろうが……。

セキュリティ・ダイヤモンドの話はそこでいったん頓挫したものの、その後も水面下では懸命に動いて、中国に対する包囲網を築くことを日本政府はずっと意識し続けていた。そうした現実を間近に見ていた私は、恵まれた立場にいたと思う。

セキュリティ・ダイヤモンドについては最近でこそクローズアップされているが、あれは実は、日本の〝発案〟でアメリカがフォローしてくれた、日米外交史では初の事案だった。これまでは、アメリカが命じたことに日本は従うだけだったから、本当に画期的なことであった。

日米豪印首脳・外相会合は、通称「Ｑｕａｄ（クワッド）」と呼ばれ、２０２０年10月に東京で開かれた。このこと自体、アメリカが完全に日本をリスペクトしていることを示している。なぜならこの手の構想は、いつもアメリカが発案し、アメリカ主導で進められるが、今回は従来とは異なるからこそ、日本での開催となったわけだ。

こうした経緯を考えると、このところの中国の常軌を逸したふるまいがあるから、Ｑｕａｄにインドも加わったのではないか。私はそんな感覚で捉えている。本来であれば、Ｑｕａｄにインドまで参加しなかったはずなのが、中印の関係が崩れたことで、Ｑｕａｄが成立したのだと。

さらにアメリカのビーガン国務省副長官は、こんなことまで述べている。

「Ｑｕａｄ同盟と呼ばれている米日豪印４ヵ国の関係をＮＡＴＯ（北大西洋条約機構）に準じたものに拡張し、公式化することをアメリカは目指している」

Ｑｕａｄ同盟成立の最大の功労者は習近平

石平　13年前の第１次政権のときに安倍首相が提唱したセキュリティ・ダイヤモンド構想。おそらくこれを本当に真剣に考えていたのは、安倍さん以外にいなかった。だから、中国も高を括って、全然相手にしなかった。「そんなことが日本にできるはずがない」と。

第１次安倍政権が潰えて、民主党政権になってから、なんでもかんでも中国のペースで、日中外交は進められた。日本にはほとんど外交的存在感が見られなかった。

しかし、第２次安倍政権が誕生し、安倍さんが７年８ヵ月頑張って、最後にセキユリティ・ダイヤモンド構想の発展形であるＱｕａｄ同盟ができたのは、安倍政権が終わってからの10月6日、菅政権の下でだった。しかも、東京で。

どうして13年前のこの構想が２０２０年の10月になって、東京ではっきりと形が出来上がったのか。これについては、２人の功労者がいる。１人は当然ながら、頑張ってきた安倍さん。でも、もう１人、功労者がいる。

習近平、その人である（笑）。

髙橋　私が中国のコア・インタレストの内容を知ったとき、まさかこれはと思っていたのは香港についてだった。香港基本法において、香港特別行政区の扱いを、中国の国内法の解釈と同様、全人代常務委員会が決めると書かれてあったのを見て、ひどい話だなと私は驚いた。

ただ、それを実行に移すのはずいぶん先のことだろうと、正直、思っていた。ところが、意外に早く、そのときはやってきた。だから、習近平国家主席は焦って、どんどん自分でやる人なのかなと思った。

石平　習近平が何かの目的に向かって、事を急ぐならばまだわかるけれど、そうではなかった。

たとえば、先刻のセキュリティ・ダイヤモンド、のちのQｕａｄ同盟について、日本が太い紐帯（ちゅうたい）を築きたかったのはアメリカ、オーストラリア、インドだった。アメリカは同盟国なので別格として、残りのオーストラリアとインドが入ってくるかどうかは、当時ははなはだ心許なかった。

13年前に安倍さんがセキュリティ・ダイヤモンド構想を編んだとき、あるいは民主党政権時代には、実現の可能性はなかった。なぜか？　いまから数年前までは、中国とオーストラリアの関係は〝蜜月〟であったからだ。

もっと正確にいうと、オーストラリアにはすでに中国がかなり浸透しており、オーストラリアという国家が中国に乗っ取られたような感があった。一方、インドのモディ首相にしても、日本ともアメリカとも良い関係をつくりながら、中国ともうまくやっていた。

ところが、２０２０年になってから中国は、インドとオーストラリアを一度に敵に回してしまった。オーストラリアについては、オーストラリア政府が「コロナウイルスの発生源を国際的にきちんと調査、追求すべき」と言及しただけで、習近平が「オレに楯突（たてつ）く奴は許さん」と怒り心頭に発し、オーストラリア苛（いじ）めを始めた。

中国への主要輸出品である牛肉や大麦、ワインへの関税の大幅引き上げで脅しをかけ、その後も、石炭や鉄鋼石や乳製品などの輸入停止を示唆するなど、中国はさまざまな手段を通じて、オーストラリア側への圧力を強めている。

そうしたなか、オーストラリア側は第5世代（5G）移動通信網の構築から、華為技術（ファーウェイ）を排除する方針を決定した。

髙橋　第2次安倍政権になると、日本とインドはそこそこうまくやっていた。神戸製鋼時代にアメリカ駐在を経験した安倍首相は、モディ首相とほとんど通訳なしに英語で話せたことから、良好な関係が築けた。

しかしながら、オーストラリアとはなかなか親密な関係にはなれなかった。たとえば2016年にアメリカ政府がオーストラリア政府に対し、豪米日安保関係を強化するため日本側に新型潜水艦を発注するよう求めたが、これを拒否されたのをはじめ、日豪関係はぎくしゃくしていた。

ところが、最近ではガラリと空気が変わり、日豪関係は急速に親密度を高めている。スコット・モリソン豪首相はコロナ禍で、帰国後に14日間の隔離が義務付けられるというのに、11月に訪日した。17日の菅義偉首相との会談で、「これからあなたのことを『ヨシ』と呼ばせてほしい。私のことを『スコモ』と呼んで」と提案してくるほど、モリソン首相はフレンドリーな態度を示した。

これは明らかに、中国の対豪政策の失敗のおかげといえた。日本は対豪外交で努力はしていたものの、なかなか成果を生み出せなかったが、中国というか習近平国家主席の〝自失〟により、オーストラリアを引き寄せることに成功した。

石平　習近平は、安倍さんのいちばんのアシスタントである。習近平こそ、安倍内閣の参与に任命されるべきであった（笑）。要するに、彼はずっと安倍さんの外交を助けてくれた。

合従連衡の鉄則を無視した欠陥外交

髙橋　安全保障分野において、これまで日本はオーストラリアとは、そううまくはいかなかった。ところが先般、自衛隊とオーストラリア軍が互いの国に滞在する際の、部隊の法的地位を定める「日豪円滑化協定」について、大筋合意する見通しとなった。

円滑化協定は、部隊が相手国で一時的に活動する際の刑事手続きなどを定めたものので、日本が円滑化協定を結ぶのは初めてである。これは安倍政権がアメリカに次ぐ「準同盟国」と位置付けるオーストラリアとの関係強化の象徴となる。完全な同盟関係ではないとはいえ、将来の同盟関係の布石となるものだ。今回はオーストラリアのほうが積極的に向き合ってきて、日本にしてみれば画期的な展開といえよう。これについては、あとで詳しく述べるつもりだ。

石平　何もかも過剰に走る中国に対する、オーストラリア側の一種の反動ではないのか。というのは、1つには、コロナの一件でオーストラリアが追求しだすと、中国はムキになってオーストラリアを苛めた。もう1つは、やはり中国はこの十数年間、オーストラリアのなかで浸透工作をやりすぎて、逆にオーストラリア人を、「このままではもう中国に国を乗っ取られてしまう」と目覚めさせてしまったのだ。

そのことは『サイレント・インベージョン～オーストラリアにおける中国の影響～』（クライブ・ハミルトン著）にも書かれていたように、オーストラリアの政界、財界、学界、市民社会に、あらゆる方法で中国共産党の影響力が浸透していき、ついに限界を超えてしまったことから、反発のエネルギーを生み出してしまった。

髙橋　オーストラリアはもともと移民の国だから、抱き込むにはけっこう簡単な国なのだという認識を私は抱いていた。だが、やっぱり度が過ぎた。世界的な孔子学園の展開もそうだが、アメリカにおいても、やりすぎたせいで疑惑を持たれ、最後にはバッシングされ、追放された。

石平　私がいちばん不可解だったのは、中国が隣国の大国・インドと大喧嘩をしたことであった。

周知のとおり、中国は春秋戦国時代に「合従連衡（がっしょうれんこう）（「合従」は、秦（しん）に対抗するために他の6国が連合すること、「連衡」は、秦が他の6国とそれぞれ同盟を結ぶこと）」という言葉を生んだ国だ。要するに、中国はどこかの大国と喧嘩するときには、他の大国とは必ず良い関係を結んできた。これが鉄則であった。

たとえば毛沢東（もうたくとう）時代は、朝鮮戦争後にアメリカと対立した際には旧ソ連と同盟関係を結んだ。それで60年代に旧ソ連と関係が悪くなって対立すると、70年代に入るとすぐにニクソンを中国に招いて、西側陣営にすり寄った。それでアメリカとも、日本とも関係改善をして、旧ソ連に対抗した。

たしかに鄧小平（とうしょうへい）時代まではそういう外交的知恵は発揮されていたが、いまの指導者にはそうした戦略は欠片も見られない。２０２０年６月、中印国境の係争地域で中印両軍が衝突、インド軍兵士20名が死亡した。両軍衝突で死者が出たのは45年ぶりのことだった。これにより、中国は比較的関係の良かったインドまでも敵に回して、結果的に、インドをＱｕａｄ同盟に参加させるという事態を招いた。

想定外だった中印衝突とインドのＱｕａｄ加盟

髙橋　私が今回のインドの行動でいちばん驚いたのは、インドは東側メインの「上海協力機構」のメンバーであるにもかかわらず、Ｑｕａｄ同盟への参加を表明したことだった。

上海協力機構は中国、ロシア、カザフスタン、キルギス、タジキスタン、ウズベキスタン、インド、パキスタンが参加する、安全保障を含み広範な協議を行う機構で、民主主義国の参加はインドのみである。

上海協力機構は軍事組織というふうに捉えられていることもあって、そのメンバーであるインドを西側に引き寄せるのは大変で、セキュリティ・ダイヤモンドのいちばんの難点と思われていた。

日本はセキュリティ・ダイヤモンドを策定した際、アメリカは大丈夫だが、当初オーストラリアはアメリカとの間に相互防衛条約、すなわち集団的自衛権があるから、参加させるのにそんなに難儀はしないと予測していたが、意外に大変だった。インドについては、はじめかなりハードルが高いと、日本側は覚悟していた。インドとアメリカをくっつけるのは至難の業であるからだ。インドは日本とは仲良くしてくれるのだけれど、ここにアメリカが入ってくるQuad同盟については、インドが最大の難関であった。

まさかその時点においては、中国が上海協力機構のメンバー国のインドと武力衝突を起こすことなど、まったく想定できなかった。

石平 そんな難問を、習近平が解決してくれたわけだ（笑）。

髙橋 （笑）常識的には、所詮（しょせん）無理な話だった。上海で中露が音頭をとってつくられた事実上、軍事同盟に近い協定にインドは取り込まれていたわけで、ロシアと中国がなかなかしたたかだった。上海協力機構に民主主義大国のインドを入れたこと自体、すごいことなのだ。

それなのに、実質的に軍事同盟を結んでいると言っても過言ではなかった中国とインドが、戦火を交えて、死者まで出してしまった。これは仮にＮＡＴＯならば、イギリスとフランスが小競り合いしているうちに、双方が本気になってしまった。そんな感じであろう。ただ、私としてはずっと、それはあり得ないことだろうと思っていた。

したがって、習近平のおかげで上海協力機構のパワーが弱まってしまった。

石平　中国がインドとそこまで喧嘩して敵対関係をつくってしまったことから、中国の看板政策の一帯一路も風前の灯火の状況に陥っている。今後、中印関係がさらに悪化すれば、一帯一路の瓦解（がかい）は避けられない。

髙橋　一帯一路の「一帯」は海なのだが、インドとの関係がここまで険悪になってしまったから、もはやインド洋における進捗（しんちょく）はあり得ない。だから、海はアウトだ。一路のほうは内陸なので、たいしたことはない。日本としては、安全保障の観点からすれば非常にありがたい。

石平　一帯一路でなく、一帯がポシャって、一路のみになってしまった（笑）。

髙橋　一帯が切れてしまうとなると、少し前までは、上海協力機構加盟国同士でさまざまな軍事演習をしてきたけれど、今後はそうした演習実施も難しくなるはずだ。インドと中国の諍い(いさかい)を経て、インドが本来の西側民主主義国のほうに戻ってきた感が強い。

さっそく10月27日、アメリカとインド両政府はニューデリーで外務・防衛担当閣僚会議、いわゆる「2プラス2」を開き、ミサイルやドローンの精度アップのために衛星情報、地図データなどを交換する協定に調印した。

かねてよりアメリカはこうした軍事情報の共有をインド側に求めてきたが、〝自律的〟な外交を目指すインドに拒まれ続けてきた。しかしながら、中国との関係悪化が深まることで、インドもそう突っ張ってばかりいられなくなった。これまた習近平サマサマで、アメリカも習近平に感謝せねばならない。

こうなると、まるでインドは中国の敵国のような立場になることから、インドは早晩、上海協力機構から除外される、あるいはインド自らが脱退するのではないか。そうでもしなければ、「インドの立ち位置」がおかしなものになるからだ。

石平　なるほど。これでアジアの地政学、勢力図は一変することになる。

髙橋　そうなると、上海協力機構のほうも目算が狂ってきてしまう。かつて中国は、ロシアとインド、さらにその周辺国を上海協力機構に入れて仲良くすれば、大陸の安全保障に憂いはなく、海洋に大胆に進出していけるという腹づもりであった。

ところが、ロシアのほうではなく、インドのほうが逆に危なくなってしまったのは、中国にとり、まったくまずい展開になってしまった。

石平　それは実にいいことだ、セキュリティ・ダイヤモンドにとっては。背後から中国を包囲する可能性が出てきたのだから。

髙橋　先にもふれたように、私はずっと日本がインドと手を取り合うのは、かなり難しいと考えていた。インドとは適当にうまくやっていても、はっきり言うと、従来よりインドとアメリカとがうまく行きにくい。噛み合わないという認識がわれわれにはあって、そこがセキュリティ・ダイヤモンド構想、ひいてはＱｕａｄ同盟のネックとなると捉えていた。それが喧嘩を売りたがる中国のおかげで、敵の敵は味方みたいな形になってしまい、インドを引き寄せることができた。上海協力機構がワークしづらくなっているのは、日本にとり非常にありがたい。

はじめから失敗するのはわかっていた一帯一路とＡＩＩＢ

石平　２０２０年７月末、中国が主導する国際金融機関であるＡＩＩＢ（アジアインフラ投資銀行）の第５回年次総会で、習近平がビデオ演説を行った。ところが、この演説のなか、習近平は自身の肝いり政策「一帯一路」について一言もふれなかった。

　知ってのとおり、ＡＩＩＢは一帯一路を支えるために、習近平がつくった銀行である。けれども、現在は一帯一路がまったくうまくいかず、表裏一体の関係にあるＡＩＩＢも、開店休業状態である。おそらく、このまま推移すれば、いずれフェイドアウトする運命になり、中国政府は、そんな国家プロジェクトなどなかったかのような扱いをするものと思われる。

髙橋　ＡＩＩＢが誕生した２０１５年当時、私は安倍首相（当時）に「日本とアメリカがバックに入らなければ、ＡＩＩＢは中国の資本で運営するしかないから無理です。おそらく中国が困って日本にアプローチしてくるはずですが、無視してください」と進言した。

どういうことなのか？　ごくシンプルにいうと、中国がバックとなる国際金融機関・ＡＩＩＢの資金調達コストを考えれば、ＡＩＩＢが成功するはずがないのは、火を見るよりも明らかだからだ。

実は日本とアメリカは、国際金融から世界の先進国のなかでも最低レートで資金調達ができる。要するに、世界でもっとも金融破綻（はたん）しにくい国、潰れない上級国だと評価されている。

ところが、中国の場合はまったく異なっている。中国は先進国ではないことから、資金調達レートが日本やアメリカと比べて１％以上高くなってしまう。そうすると、ＡＩＩＢが中国企業だと認識されると、ＡＩＩＢの資金調達コストは、日本が主導して展開するＡＤＢ（アジア開発銀行）よりも１％程度も高くなる。

したがって、ＡＩＩＢが高い金利で調達した資金で、一帯一路の参加国に融資すれば、どうしたって高金利にならざるを得ない。はじめから無理なのだ。だから、仮にＡＤＢと融資先がバッティングするならば、全部負けてしまう。

石平　そもそも中国は最初、ＡＩＩＢがＡＤＢに対抗するのだという意識を持っていたが、勝負になるはずもなかった。

髙橋 はっきり言うと、ＡＩＩＢが条件のいい資金調達をするためには、日本とアメリカがＡＩＩＢに資本参加する以外に、選択肢はなかった。これは、経済学の理論だから、中国がどんなに頑張ろうと、乗り越えられない。頑張るとか頑張らないではなく、誰がバックに控えているかに収斂（しゅうれん）する話なのだ。

ＡＤＢには日本とアメリカがバックにいるから、資金調達コストはいちばん安くなって、ＡＩＩＢは中国が後ろ盾になるから、資金調達コストにおいて絶対にＡＤＢには勝てない。だから、「日本とアメリカで一緒になってＡＩＩＢを支えるのはまずいですよ」と私は安倍首相に申し上げたのである。

そうしたら、安倍首相は「それはよくわかった」と返してきた。以降、安倍さんに直接アドバイスするときには印象付けないといけないから、「日本がアメリカとともにＡＩＩＢに参加しなければ、習近平は必ず日本に参加してくれと頼みにきますよ」と説明した。

石平 そのとおりの展開になったのか？

髙橋 実際にそうなった。それで安倍さんから「日本は参加しないと、中国側に言った。アメリカも同じだ」と聞かされた（笑）。だからこの時点で、ＡＩＩＢはまともな国際金融機関にはなれないことが決定したわけだった。他のヨーロッパの金融機関が少々参加しても、メインではないから相手にされない。はっきり言うと、バックになるメインの国がどこかで、国際金融機関の〝格〟が決まる。これでどんなに中国が頑張っても、融資案件ではＡＤＢには絶対に勝てないことが確定したわけである。

石平　一帯一路をぶちあげて、ＡＩＩＢを創設した中国は２０１９年９月11日、いまにしてみれば最後になるであろう「一帯一路サミット」を香港で開催した。私の記憶では、この香港サミットを挙行するために、大揉めに揉めていた「逃亡犯条例・改正案」を撤廃したほどであった。だが、中国系のどの新聞にも同サミットへの参加国、参加人数、会場の模様の写真などは一切載っていなかった。

発表できる顔ぶれが揃わなかったことは容易に想像できるし、これでは習近平の面子が潰れると、中国系メディアが忖度したに他ならない。

髙橋　それはそうだろう。

石平　というのは、この香港サミットに、お金を持っている国はどこも参加しなかったからだ。

髙橋　来ないのは、仕方がない（笑）。

石平　貧乏国ばかりが参加した。他の国から援助がないと食べていけない国ばかりが香港に来てしまった。

髙橋　高い金利でしか融資できないAIIBを使う一帯一路に参加するのが貧しい国に限るのは、貧しい人たちが高金利の「サラ金」に借りるのとまったく同じ理屈、構造といえる。銀行が相手にしてくれなくて困り果てた人は、「サラ金」に行くしかないわけだから。

その理屈を、安倍さん経由で、きちんと麻生（あそう）さんに伝えてもらった。ところが、麻生さんが記者の前で「AIIBってサラ金だよ」と思わず言ってしまった（笑）。

石平　ひょっとしたら、麻生さんが発した「サラ金」という言葉の発信源は髙橋先生だったのか？

髙橋　いや、私はそんな下品な言い方はしていない（笑）。「国際金融の理論で、金利が高くなりますよ。国際金融のバックにある国によって、資金調達コストが違うのです」と言っただけだ。政治家はそれを面白く喋（しゃべ）るから、「サラ金」だと表現した。

私はそんな下品なことは喋らない。

石平　別の見方をしよう。髙橋先生が汚い言葉を使ったかどうかの問題でなく、要するに、日本がＡＩＩＢへの参加を止めた結果、実際には一帯一路は瓦解寸前まで追い詰められた。髙橋先生が一帯一路を潰した張本人ということになる（笑）。

髙橋　安倍さんがけっこうＡＩＩＢについて理解されていたのは事実だ。一方、中国もすぐにＡＩＩＢに欠陥があることに気づいて、それでＡＤＢを抱き込もうとした。ＡＤＢを抱き込むということは、実は日本の財務省の官僚を抱き込むことに等しいわけで、中国側は実際に水面下で動いていたようだった。

そこをさすがに麻生さんが「サラ金に手を貸すな」という言い方で（笑）、機先を制した。そう指摘されると官僚のほうも焦る。「ああ、麻生さんはＡＩＩＢの弱点を本当にわかっているな」と伝わったので、財務省の官僚のほうも中国を相手にしなかったと聞いている。おそらく、麻生さんの迫力勝ちだったのだと思う。

石平　でも、「サラ金」という言葉は本質をついている。

髙橋　それは私も否定はしないし、まったくそのとおりで、わかる人にはわかる。

石平　日本とアメリカが参加をしない段階で、もうＡＩＩＢはアウトの運命だったわけだ。

中国で儲けたい経団連の幻想

髙橋　しかしながら、安倍さんは「産業界は別だ」とも言っていた。そこはある意味でデカップリングというか、きちんと分けていた。ＡＩＩＢは政府マターだから、産業界とは一切関わり合わないと。民間団体の経団連が中国に行ったときには、それはあくまでもビジネスベースの話だから、政府は関与しないという判断である。

ＡＩＩＢについて一切、日本政府は関わり合わなかったのだが、その一方で経団連の人たちが中国に行って、中国の財界人とビジネス交流をしていた。政治トップの安倍さんは避けていたけれど、二階俊博(にかいとしひろ)さんあたりは日中のセレモニーには参加していたらしい。

中国の人たちから見ると、日本の民間のほうは一生懸命やってくれているから、ＡＩＩＢのほうもうまくいくのではと期待していたかもしれない。だが、ＡＩＩＢ関連の話は一切なかった。

石平　問題は、日本の財界の人々がなぜ、一帯一路にそんな幻想を抱くのかだろう。

髙橋　財界の人たちも、日中の政治がらみのマターは難しいのは認識しつつ、はっきり言って、ちょっとだけ儲(もう)けさせてくれということだ。

石平　正直に言うと、中国がそんなおいしいところを、日本企業に絶対に渡すはずはない。私には、その心持ちが理解できない。

髙橋　だから、私は昔から中国に進出している日本企業の経営者に、「資本取引を中国は外資企業に許していないから、資本投下をしても回収できないですよ」と言い続けてきた。「そんなことないだろう」とみんな反論するのだが、私のほうが正しい。

なぜか。「一党独裁の共産主義の国では、資本取引は自由化できない」とする大原則があるからだ。なぜ自由化できないかというと、共産主義においては、生産手段を国有化するのが基本中の基本。資本取引とは実際には、土地の取引まで包含される。

そうすると、中国の土地や中国の企業を、外資企業が１００％買うことは、絶対にあり得ない。

石平　それはそうだ。そんなことを許したら、一党独裁の共産主義体制が終わってしまう。

髙橋　生産手段の国有化から出発する共産主義国が、土地と企業について外資に100%を持たせることはあり得ない。したがって、資本取引は絶対に許さない。

逆に、外国企業からすれば、資本取引の規制を緩めようとする。それを許せば、いずれ外資から100%の子会社をつくらせろと要求されることが中国もわかっているから、資本取引については絶対に緩めない。だから、日中で合弁企業を設立しても、絶対に49%以下しか持たせない。マジョリティはどうしたって、中国側が確保することになっている。

はっきり言うと、日本側はお金を出すだけで、経営権を永久に持てない。だから、そんな経営権を持てない国に行って、資本回収をするのは所詮無理なのだ。できるわけがない。このように私がこんこんと言い聞かせても、日本の経営者たちの多くは理解できないようだった。

みんな「アメリカやイギリスでは回収できた」と反論してきたけれど、それは相手が民主主義国だからだ。民主国家と共産主義国の体制の差があることを、悲しいほどわかってくれなかった。

石平　そういう意味では、安倍政権のときに、安倍さんも麻生さんも髙橋先生の意見を聞いておいて本当によかった。当時、習近平が髙橋先生を共産党政治局常務委員会の参与に呼んだら、習近平はあれほどの失敗を起こさなかったであろう（笑）。

第2章

習近平独裁が与えた日本の幸運

ポスト香港に名乗りをあげた東京、大阪、福岡

石平　香港国家安全維持法を導入された香港は、いま、こんな状況になっている。まず、この香港国家安全維持法を執行する司令塔は、国家安全維持公署。これは全員が中国本土から派遣されてきた政治幹部と、公安警察によって構成される。

ヒエラルキーでいうと、同公署は香港政府と香港基本法の上に君臨しており、公安警察のやりたい放題が約束されているわけだ。

よく言われることだが、国家安全維持法が施行されることにより、香港という国際都市は結局、大陸の他都市と何ら変わらなくなった。しかも、国家安全維持公署が行政の上にあるのは香港だけである。要するに香港は、完全に「公安警察支配」の社会となってしまった。その点、他の中国大陸の都市よりもさらに酷い状況にあると言える。たとえば上海の場合、上海の警察が当然上海の共産党政府の下にあるのだが、香港はその逆、中国の警察が香港政府の上にあって、香港の基本法を超越している。香港はそういう意味では、共産党警察がやりたい放題の無法地帯になっ

ている感さえある。

香港の法体制、法治は完全に破壊され、これからどういうことが起きるのか？ 金融センターとしての役割はまたどうなるのか、髙橋先生にお聞きしたい。

髙橋　これもわが国にとっては、大変ありがたいことだった。

石平　それはどういう意味なのか？

髙橋　中国が天下の悪法、香港国家安全維持法を施行したことで、国際金融センターとして長年世界第３位の地位にあった香港が急速に〝没落〟するのが確実となったからだ。そこで日本にチャンスが回ってきたわけである。

菅政権は、日本がアジアの金融センターを、香港の代わりに担えるのではないかと目論んでいる。というか、色めき立っている。

普通に考えれば、世界金融センターで５、６位（２０２０年は４位）を争っていた東京が受け皿になるのだろう。東京都の小池百合子知事も中国と近い。だが、ここにきて東京の動きが、意外にも鈍い。そこでいま、大阪と福岡が「ウチがやります」と名乗りをあげた。東京も諦(あきら)めているわけではないから、実質三つ巴(どもえ)となった。

具体的には、国際金融都市である香港が没落すれば、国際金融ビジネスの最先端で活躍していた香港人の有能な金融関係者が数十万人単位で、新たな金融センターに流れる、その受け皿づくりであろう。そうなるべく、東京と大阪と福岡が国際金融センターの誘致合戦に突入しつつある。

石平　香港はもうまったくビジネスにならないのか？

高橋　特に金融はまったく駄目だ。金融は規制されたら、ビジネスにならないところがある。自由な取引ができる環境が整わないと、カネもヒトも集まって来ない。香港では無理となると、アジアで香港が担っていた金融ビジネスを代替できそうな場所は、日本かシンガポールしかない。それで日本の売りは、「シンガポールに行っても、中国がずっと追っかけてきますよ」というもので、このセールストークがとても有効なのだ（笑）。

石平　華僑（かきょう）がマレーシアから独立させてつくった人工国家がシンガポールだ。

高橋　シンガポールの中国人はそんなに悪くはないかもしれないけれど、ひょっとしたら、中国が乗っ取りに来るかもしれない。そうした懸念はゼロではない。その点「日本は絶対大丈夫だ」という売りで、東京と大阪と福岡が立ち上がった。前述したとおり、いまの時点では東京の動きはいまひとつ鈍いが……。

この3都市では「特区制度」を大いに活用して、誘致合戦に臨む肚だ。金融行政や税制や在留資格を緩めたりすることにより、香港にいる金融スペシャリストたちを呼び込む所存である。

東京を、アジア一の国際金融センターにする。これまで東京がいくら頑張っても駄目だったのだが、香港が自滅してくれたおかげで、日本はこれまたタナボタに与ったわけである。

国際感覚に富む香港の金融スペシャリストたちを受け入れるのは、国際的にも良いイメージがあるし、金融関係の香港人にはお金持ちが多いし、インバウンドでも儲かりそうなことから、これからは東京、大阪、福岡がしのぎを削り合うという感じになるのであろう。

石平　要するに、金の卵の香港を毀した習近平は、本当に馬鹿だと思う。

髙橋　私は、こんなことは絶対にあり得ないと思っていた。繰り返すが、これまで香港は世界3位の国際金融センターだった。ニューヨーク、ロンドン、香港。それでその次にシンガポール、東京が続くのだけれど、香港が自滅してくれて、本当にありがたい。

石平　まさしく、「習近平サマサマ」だ。

髙橋　私は、小池都知事にはかねてより、「香港に異変が起きて、国際金融センターの座から滑り落ちる可能性もあるから、東京がその後釜を狙うべきですよ」とアドバイスをしていた。たしか、それは都知事選のときの公約にもなっていたはずだけれど、今回、小池さんの動きはちょっと鈍い。

そうしたら、今回の大阪都構想の住民投票で敗けてしまった松井大阪市長が、すぐに動きを見せた。やっぱり大阪の将来を見据えたときに、ＩＲ構想だけではちょっと寂しい。国際金融センター構想であれば、かつて大阪は堂島で世界初の先物取引を始めた歴史を有しており、これは打ってつけだというわけである。

石平　ああ、それは一理ある。

髙橋　大阪は昔から商売の都市で、金勘定には向いている。東京がやらないのなら大阪でやらせてくれと。大阪の咲洲地区などは、土地が余っているということもあるようだ。

日本人に感覚が近い香港人を受け入れろ

石平　東京か大阪か福岡かわからないが、とにかく日本に香港の金融センターを持ってくるプロジェクトが本格化すれば、移り住む香港人の資格はどうなるのか？　移民なのか、難民なのか？

髙橋　当面は在留資格で住んでもらい、最終的には移民だろう。プロジェクトとして行えば、相当な数の香港人の流入が見込めるだろうから、彼らの居住地として大阪の咲洲などを活用する手もあるかもしれない。

石平　日本政府がそうした香港の人たちに対して、とりあえず難民認定をするのも、１つの手ではある。

髙橋　国際的には批判はしにくいだろう。ところが、大阪では香港人と中国人を混同して、そんなことをしたら大阪に「チャイナタウン」をつくられてしまうと、拒絶反応を示す人が少なからずいるようだ。

日本が必要とするのは、香港の金融センターで働いている人だけだから、在留資格を与えるときに、金融スペシャリストを例外にすればいいだけの話。当然ながら、年収基準を設定してもいいだろう。

政府では具体的な優遇措置をさまざま検討しているようだ。投資ファンドの運営者などで、一定の条件をクリアした人を対象に、海外に保有する資産は相続税の対象から外す。あるいは非上場のファンド運営会社にも、上場企業同様、業績連動型の役員報酬を経費として認め、法人税の負担を減らす、ことなど……。

石平 金持ちと、専門的な人材のみ。

髙橋 そう。金持ちと金融スペシャリスト。中国人インバウンドなどより、確実に消費効果は高いと、私は見ている。

石平 香港人を受け入れることに対して、日本政府には抵抗感はないのか？

髙橋 香港がこういう状況になって、香港脱出組が溢(あふ)れ返っているときに、かつての宗主国であるイギリスと、反中の台湾が引き受けると言っている。先進国で香港にもっとも距離の近い日本が、手を貸さないのは逆におかしいのではないか。

香港人の移住先でダントツに多いのはイギリスで、次がシンガポールと言われている。その次が台湾か日本だろう。台湾は普通話だから、香港の広東語とはまったく違う。

石平　ただし、香港人が台湾と日本のどちらかを選ぶとしたら、日本を選ぶと思う。台湾にいては、四六時中、中国の影がちらつくからだ。香港人のなかに、いずれ台湾は「第二の香港」になるのかもしれないという、恐怖心が少なからずあるのではないか。

私には香港人が日本に住んで、さまざまな移民問題を起こすとは考えにくい。長年法治社会のなかで生きていて民度の高い香港人は、日本社会の秩序を壊すようなことはまずしないだろう。

髙橋　香港人の多くは、民主主義国のイギリス統治下で暮らしていたから、日本人と価値観が似ている。したがって、中国の本土の人たちとは違う。私の付き合っている香港人は、まったく違和感を抱かせない。

中国に回収されてしまってからの香港にも、選挙制度は下のレベルでは残されている。香港では行政長官とか立法会などの上のレベルの選挙はまっとうではないけれど、いちばん下の区議会レベルでは実際に公正な選挙が実施されている。やっぱり、イギリスの統治下だったからで、大陸の中国人とはかなり考え方が違う。

石平　価値観にしても、法に対する感覚も、市民意識も日本や平均的先進国の市民と近い。台湾人とも似ている。

髙橋　ただし、当然ながら、香港人のなかにも大陸の中国人と同じような人もいる。そういう人たちは、おそらく本国の中国人とビジネスをしているのだと思う。中国でビジネスをしていれば、中国に従わないと食っていけなくなるからだ。中国とべたべたで知られる映画俳優のジャッキー・チェンなどはその典型だ。映画ビジネスでは当局の影響が強いからだと思う。

石平　なんだかんだ言っても、香港の金融界で働く人を日本に受け入れるのは、日本の金融界のブラッシュアップにもつながるし、摩擦がいちばん少ないのではないか。これもまた、習近平さんからの大事な〝プレゼント〟だから、素直に受け入れたほうがいい（笑）。

米中新冷戦時代の対立軸と枠組み

石平　中国は金の卵を産む鶏である香港を自らの手で殺して、周辺国に分け与えた。その一方で国際社会、とりわけ西側先進国との対立も深めてしまった。香港を毀したことで、まずイギリスを敵に回した。

髙橋　それは当然だ。鄧小平がサッチャーに約束した「一国二制度の50年間の維持。香港の自由・民主の維持」を破ったのだから、イギリスとしては面子(メンツ)丸潰れとなった。

石平　イギリスは６月までファーウェイを５Ｇ構想から排除するかどうか迷っていたが、６月30日に「香港国家安全維持法」が施行されたことで、肚が決まった。

髙橋　踏ん切りがつく、良いチャンスだったと思う。やっぱり、香港とウイグル族やチベットに対するふるまいは、イギリスでなくとも、ヨーロッパ人にはあまりにも強烈だった。

中国の、他民族の人権をないがしろにするふるまいについては、ＢＢＣが年中取り上げており、ヨーロッパ人にしてみれば「えーっ！」と信じられないことばかりだった。

石平　中国共産党政権の連中は、そもそも「唯物主義者」で、むしろ資本主義者よりもお金の力を信じる。だから一時、中国共産党政権は、ヨーロッパはもうわが手に

〝落ちた〟と思っていた。ドイツにしてもイタリアにしても、中国のお金に魅せられて、陥落したと確信に近い、感触を抱いていた。アメリカについてはまだわからない部分があるけれど、ヨーロッパについては、勝利したのだと。

しかし、２０２０年に入ってから、特に年央以降の数ヵ月間で、ヨーロッパ各国との亀裂が急速に深まった。たとえばドイツ。かつてメルケル首相は本当に頻繁にドイツ経済人を引き連れて、中国に足を運び、ドイツ企業と中国との橋渡し役を務めた。

そんなドイツが豹変（ひょうへん）した。10月7日に行われた国連総会の第3委員会、いわゆる「国連人権会議」において、ドイツの国連大使が米英日を含む39ヵ国を代表して、中国の人権問題を批判する声明を発表した。39ヵ国は、ウイグル人およびチベット人の権利を尊重するよう求め、香港の政治状況への懸念を表明した。声明は、新疆（しんきょう）における人権侵害の問題として、宗教に対する厳しい制限、広範な非人道的な監視システム、強制労働、非自発的な不妊手術を取り上げた。

こうして中国の人権問題をまとめてガンガンと批判した。そしてこのドイツ主導の「中国批判声明」に署名した39ヵ国は、G7参加国全員、G20参加国のうち8ヵ国、ＥＵ加盟国の大半、１人当たりＧＤＰ上位40ヵ国（２０１８年）中24ヵ国。

　これには伏線があった。その前日に同じく国連人権会議が開かれ、中国の国連大使がアンゴラ、北朝鮮、イラン、キューバを含む26ヵ国を代表して、アメリカと西側諸国による「人権侵害」と「一方的強制措置（制裁処置）」を厳しく批判したのだ。

　この中国が西側に対抗してまとめ上げた26ヵ国のリストを見た私は、正直、笑ってしまった。アンゴラ、イラン、エリトリア、カメルーン、カンボジア、北朝鮮、キューバ、シリア、ジンバブエ、南スーダン、ミャンマー、パキスタン、白ロシア、ブルンジ、ベネズエラ、ロシア等々。このうちブルンジは１人当たりＧＤＰが世界最下位で、エリトリアは下から2番目。26ヵ国の多くは、人権弾圧で悪名高き国、全体主義的独裁国家で国連制裁を受けている国であった。

　この国連人権会議で正面切って遣り合った2グループには、はっきりとした対立軸が存在していた。アメリカを中心とする「民主主義先進国群」と、中国を中心とする「人権侵害国家・貧困国家・問題内包国家群」である。言葉を換えるなら、人権を基軸とする文明国家群VS.野蛮・ならず者国家群、となろうか。

私でさえ表現するのに躊躇するのだが、中国が集めたのはチンピラ・ならず者・三流国家（笑）だった。要するに、中国のお金なしには成り立たないところばかりである。そうしたチンピラ・ならず者・三流国家の親分に成り下がったのが、中国なのである。

おそらくこれが、米中新冷戦時代の対立軸と枠組みになるのであろう。

あり得ない香港国家安全維持法の域外適用という無法

髙橋　石平さんは中国をチンピラ・ならず者・三流国家と評したが、それをもっとも端的に表したのは、香港国家安全維持法の内容であった。いちばん驚いたのは、「域外適用」で、香港以外の外国にいる外国人にまで適用が及ぶものとされていることだった。

これは間違えてはいけないと、香港国家安全維持法の中国語の原文も読んでみたところ、域外適用とたしかに記されており、ここには中国共産党の〝思想〟が現出したのではないかと思われる。たとえば、日本で中国の批判をしたら、香港国家安全維持法に違反するわけである。

どこの国の法律もすべからく「属地主義」が原則で、たとえば日本の法律は日本のなかでしか適用にならない。日本国内で外国人が罪を犯したら、日本の法律が適用される。「郷に入れば郷に従え」が世界の標準だ。

石平　第38条にはっきりと書いてある。「香港特別行政区の永住権を有しない者が、香港以外の場所で本法律に規定する罪を犯した場合、本法律が適用される」と。

たとえば、私がフランスに行って、フランスのテレビ番組に出演して、中国の体制批判をすれば、中国当局に逮捕される可能性があるわけである。中国とフランスの犯罪人引き渡し条約に基づき、私は中国に連れて行かれてしまうかもしれない。

先に国連人権会議で、中国の国連大使が26ヵ国のチンピラ・ならず者・三流国家を代表して、アメリカと西側諸国による「人権侵害」と「一方的強制措置（制裁処置）」を厳しく批判したと申し上げた。その26ヵ国が香港国家安全維持法の域外適用を認めるなら、もはや主権国家を捨てて、中国の属国になったに等しい。中国に賛意を示した国は、その点を認識しているのだろうか。

髙橋　中国と犯罪人引き渡し条約を締結している国は、これからの対応が大変になるだろう。民主主義先進国では、フランス、スペイン、イタリア、韓国が中国と同条約を結んでいるが、どうなるだろうか。

実際、カナダは「香港との犯罪人引き渡し条約」を停止した。日本人でも、中国と同条約を締結している国に旅行しているとき、うかつに中国共産党批判をしたら、逮捕となりかねない。

香港に行くのもはばかられる。香港のイミグレーションで、「あなたは、あのときに中国共産党の批判をしていましたね。はい、逮捕」となりかねないのだから。そうしたら、もう日本に帰って来られないかもしれない。

ということで、法律の域外適用はまずないし、先進国ではあり得ない。だが、香港国家安全維持法には平気で書いてある。

石平 しかしながら、習近平は世界中が自分に従わなければならないと思っている。

髙橋 あれは宇宙人が見てもびっくりする。宇宙人も「おれも中国に従わなくてはいけないのか」と思ってしまう。

石平 第38条を理論的に解釈すれば、宇宙人にも適用できる。38条には、地球に限るとは書いていない（笑）。

戦狼外交で自滅し親中の欧州を敵にまわす

石平　もう1つ、今年中国がヨーロッパを怒らせたのは、いわゆる「戦狼外交」であった。この代表格は外務大臣で、外相が率先して狼になった。

王毅外相は今年の8月25日からヨーロッパを歴訪した。このタイミングでの王毅のヨーロッパ歴訪の目的は、ＥＵ、欧州との連携強化であった。中国のアメリカとの対立は激化し、アジア太平洋地域においても孤立を深めている。そうした状況下、ＥＵ、欧州を取り込み、連携し、何とかアメリカと対抗する、いわゆる「連欧抗米」を王毅は狙っていた。

だが、王毅の思惑は粉々に砕け散った。しかも、明らかに〝自滅〟であった。

8月31日、ドイツ訪問中の王毅外相は、チェコのビストルチル上院議長率いる台湾訪問団にふれ、「彼らは一線を越えた。大きな代償を払うことになるぞ」と堂々とチェコを恫喝した。これに当事者であるチェコのみならず、ＥＵの大国であるドイツ、フランスが猛反発、連携どころではなくなった。

ドイツのマース外相は王毅外相と会談を終えると、２人並んでの記者会見を行った。王毅が隣にいるとき、「チェコへの脅迫は許されない」「香港国家安全維持法の影響を強く懸念する。一国二制度は約束どおりに実施されるべきだ」と公然と痛烈に中国を批判した。

その２週間後、習近平は恒例となっているＥＵ首脳との首脳会談に臨んだ。今年はオンラインでの会談だった。そこにおいても、ドイツのメルケル首相と欧州委員会のフォンデアライエン委員長、ミシェルＥＵ大統領（常任議長）らは人権問題で習近平を指弾、袋叩きにした。

その席で習近平はこう反論した。「われわれには人権の先生は要らない」。要するに、お前らの指図を受けないと、尻をまくったわけである。

その延長線が先に説明した、10月の国連人権会議でのドイツ国連大使の発言につながった。人権問題で叩かれた中国は、チンピラ・ならず者・三流国家を引き連れて西側と対抗した。これでなかなか面白い構図が出来上がった。

髙橋　面白い。中国VS.民主国家。こうなると、上海協力機構からインドが抜けたのは、習近平には非常に痛いのではないか。あとはもはや、ロシアがどちらの側に立つかだけに絞られてきたと思う。

日本通の王毅外相が反日になった理由

高橋　石平さんに聞きたいのは、王毅という外相の地位についてだ。われわれはどう捉えればいいのか。そんなに偉くはないと思うのだが。

石平　国内的には、中国の外務大臣は全然偉くない。外務大臣は、共産党のなかでは中央委員会のメンバー。しかし、中央委員会の上に政治局があって、政治局の上には、政治局常務委員会がある。要は王毅は、政治局常務委員（最高指導部）から３段下、ただの中央委員会の平委員でしかない。

高橋　この人は元駐日大使で、かなり日本語が達者だった記憶がある。

石平　日本語ができるというより、日本語しかできない。もちろん中国語はできるけれど。日本語専門屋さんと言ったほうがいいかもしれない。

高橋　なるほど。王毅は日本にいるときにずいぶん遊んだので、いろいろと情報を摑まれているようだ（笑）。それでいちばん有名なのが、日本にいるときに、ゴルフをしまくったこと。これは安倍さんから聞いたのだが、習近平もいる日中首脳会談後の雑談の場で、安倍さんが「王毅さんは日本でゴルフを熱心にされていましたね」と皮肉ったら、王毅が必死の形相で、「私はゴルフはやめました!」と日本語で言ってきたそうだ(笑)。

石平 (笑)ボスの前で? それはまずい。

髙橋 そのときに同席した中国人が中国語で、「ばれたね」と言った(笑)。だから、彼は日本に来たときに、ゴルフ三昧(ざんまい)の生活だった。そんなことからも、日本勤務の大使はけっこう楽なのだろう。

石平 そうした日本との因縁があるから、王毅は外務大臣になると、余計に「反日」になった。日本との癒着はないと言わんばかりに。

髙橋 そう言って頑張っているらしい。けれども、そこが面白い。

石平 前の章でも指摘したが、昔の中国の外交力の高さ、したたかさには定評があった。それが習近平政権になってからは、ガラリと変質してしまった。知恵もなければ、最低限の外交的能力も備えていない。外交官が狼になっただけだ。

髙橋 王毅は2020年11月に訪日するはずだった。習近平の国賓訪日を要請しに来るはずだったのが、10月に東京で中国包囲網を目的とする「Ｑｕａｄ会合」を開かれたので、訪日のきっかけを失ってしまった。
それでもあつかましく11月24日に来日したが、結局、習近平の国賓訪日をめぐるやりとりはされなかった。

２０２０年7月1日、アメリカは変わった

石平　ここまで中国の外交は劣化したわけだが、それでも中国は、なんとかして日本を利用しようとしてくるはずだ。１９８９年6月に起きた天安門事件後、国際社会で孤立化したときのように。

髙橋　そうだった。天安門事件の直後の１９９０年、ＯＤＡを含めて中国側からさまざまな要請がきて、私は大蔵省幹部に付いて北京に行った。大袈裟（おおげさ）でなく、国賓並みにわれわれは扱われた。
北京空港に降り立ったとき、タラップのところに車が待機していた。そのまま通関も何もなしに、白バイとパトカーに先導された。泊まったのは、それこそ国家元

首用の宿である釣魚台だった。門番がいて、周りに塀がめぐらされ、誰も入れなかった。私は当時30代後半、一介の課長補佐（笑）。

石平　いまの中国も、天安門事件を起こしたときに近いような立場になっている。傍若無人なふるまいから西側先進国を敵に回し、米中関係を決定的に悪化させた。アメリカ側の強硬姿勢が顕著になったのは、やはり、中国が香港国家安全維持法を6月30日に可決、その日のうちに施行してからだった。同法についてはすでに述べた。私は2020年7月1日から、文明世界と野蛮国家・中国との関係が根底から変わったと捉えている。

7月1日を境目に、アメリカのトランプ政権の中国に対する態度は、以前より何倍も厳しくなった。それは、7月に入ってからアメリカが中国に対してとった一連の行動を見れば一目瞭然（いちもくりょうぜん）である。

まず7月13日に、アメリカは南シナ海での中国の領有権の主張について、「違法」だと初めて断言した。周知のとおり、それまでには、各国による南シナ海の領有権争いについて、アメリカは基本的に特定の立場は取らないという姿勢を貫いてきた。したがって、南シナ海は誰のものかについても、アメリカは沈黙を守ってきた。

だが、アメリカは自らに課した原則を破り、中国側の主張を違法だという立場をとった。中国を絶対に許さないという、アメリカの意志の表れであった。当然、この立場には、軍事手段が含まれている。軍事を含めたあらゆる手段を用いて、南シナ海の島々に対する中国の不法占領を排除する可能性を示しているのであろう。

これは7月13日の話だが、翌14日、トランプ大統領はアメリカが香港に与えてきた優遇措置を廃止するという大統領令に署名した。さらに7月21日には、テキサス州ヒューストンの中国総領事館の閉鎖を命じた。

そして7月23日、ポンペオ国務長官が歴史に残る演説を行った。これはアメリカの中国に対する実質上の「宣戦布告」であった。名指しで習近平を「古い全体主義の信奉者」と批判し、アメリカと中国の対立は両国間の対立ではなく、実は「自由世界と全体主義」の対立だと強調した。

要するに、イデオロギーの対立だから、妥協する余地はないと訴えたのである。両国間の対立ならば、交渉して妥協する余地はあるけれど、今回はそれはないと明言したのである。

8月に入ってからも、高官を台湾訪問させるなど、アメリカの攻勢は続いた。10月末には、台湾に対し、ボーイング社製の地対艦ミサイル「ハープーン」400発と、発射用沿岸防衛システム100基など計23億7000万ドル（約2500億円）分の武器売却を決めた。

こうしたアメリカの対中強硬姿勢について、髙橋先生はどう見るか？

トランプの中国嫌いに強く関与した安倍前首相

髙橋 なぜ前大統領のトランプが中国嫌いになったかを、私は多少知っている。それははっきり言えば、安倍さんの影響だった。

石平 それは興味深い。

髙橋 南シナ海の権益についてはオバマ時代にも、フィリピンが中国を国際司法裁判所に訴えたけれど、オバマ元大統領はそんなに大きくは反応しなかった。どちらかというと、オバマは南シナ海の揉め事については、けっこう〝緩い〟対応だったと思う。

ところが安倍さんは、セキュリティ・ダイヤモンドを編むことを最初に言及したくらいの人だから、南シナ海の権益問題にもすごく意識があって、それでトランプにいちばん最初に接触した。これは５年前、トランプが大統領選に勝利した直後だったことから、日本の外務省は「やめてくれ」と制止した。「現職のオバマがいるのに、安倍さんがトランプに会いに行くのはまずい」。それで外務省は安倍さんの要望を無視して、トランプとのアポイントメントを取ろうとしなかった。

石平　現役の日本の首相が、当選したばかりの次期大統領と会談するという、前例がなかったからか。

髙橋　まだトランプは大統領になっておらず、正式な就任式まではオバマが大統領なのだから、外務省としては「やめてくれ」の一点張りであった。もともと基本的にはアポが取りにくい場面なのもたしかなのだが、たまたま私のアメリカ人の友人で、安倍さんもすごく信頼していた人物が、実はドナルド・トランプの顧問弁護士をしていた。

安倍さんは彼に直接連絡して、アポイントメントの件をまとめてもらった。顧問弁護士をしているから、トランプにすぐに連絡できたのだ。

それでトランプタワーでのアポイントメントを取った。もちろん、外務省はノータッチ。たまたま、うまいことに安倍さんがニューヨークに着く日の夕方が、トランプも空いており、あっと言う間にアポが取れてしまった。

安倍さんは何をトランプと話すべきか、さまざま考えていたけれど、やはり中国の話に絞ったそうだ。安倍さんは「このまま放置しておくと、中国が大変なことをしでかす」と中国に対する危惧（きぐ）を伝えた。ところが、トランプは中国のことをまったく知らなかったようで、安倍さんは〝念入り〟にレクチャーしたと言っていた（笑）。

それで最終的に、トランプは安倍さんの考えを理解してくれた。人間的にもウマが合ったらしい。それでアメリカの攻勢のターゲットは、日本から中国に変わることになった。

トランプはビジネス面においても、中国についてほとんど関心がなかった。そこで安倍さんが、中国がいかに強引で、やりたい放題をしているか、その現実を教えたら、トランプはすごく食いついてきた。

世界の首脳でトランプと最初に会ったのは、安倍さんだった。習近平もいちおうトランプを追いかけていたが、1週間以上も連絡が取れなかった。その間に安倍さんは何回も中国についていてトランプにレクチャーしたらしいから、やはり最初のアポが重要だったのだと思う。

石平　そうか。トランプタワーでのあの会談が、中国の運命を決めたわけだ。

髙橋　そこで中国の運命が決まった。初対面で親密になって、何時間も中国の話ができた安倍さんの行動力の勝利だった。

石平　中国はそのときは、高を括っていたと思う。中国からすれば、ヒラリー・クリントンよりもトランプのほうが都合がよかった。というのは、ヒラリーが大統領になれば、中国に対して人権問題で責め立てると予測していたからだ。

当時の中国側が考えていたトランプ像は、たかだか商売人。商売人に対しては、中国は扱い方がうまい。商売人には利益を渡せば、何でもオーケー、手なずけるのはそう難儀はしないと甘く見ていた。

それにトランプも、たびたび人権を無視した発言をするから、中国から見ると〝仲間〟のように思えたのかもしれない。

髙橋　しかし、中国の知らないところで、トランプは安倍晋三のレクチャーを受けて、彼の中国観がひっくり返った。安倍さんと会う前までは、すべて「日本のせいで」という問題が、すべて「中国のせい」に逆転していった。これは日本にとって、かなり有利に働いたはずだ。つまり、トランプの方向付けに、安倍さんはかなり関与したということになる。

石平　いま思い出したのだが、トランプは当選してしばらく経つと、台湾の蔡英文（さいえいぶん）総統に電話して、世界中を驚かせた。あれはきっと、安倍さんのレクチャーの効果だろう。

それから貿易問題に取り組んだのも、レクチャー効果と考えると、納得できる。トランプ政権の前半は、貿易問題にほとんどを費やし、後半はあらゆる問題を持ち出して、中国を叩きまくった。

髙橋　おそらく安倍さんは、「実はアメリカの貿易赤字の大半は対中国ですよ」と指摘した（笑）。それで、「日本に対する赤字はたいしたことはありませんよ」と諭したのであろう。

第3章

コロナ禍の世界、天国と地獄

疫病との闘いに奇跡的な勝利をおさめたという中国の嘘

石平　2020年、世界中に新型コロナウイルスが拡散されるなか、独裁体制を敷く中国はなんとか感染爆発を押さえ込んだ。当然ながら、それなりの理由があった。

独裁体制ゆえに、強権をふるえば何でもできるからだ。住民を完全に家に封じ込められるし、都市封鎖も交通遮断も思うがまま、やりたい放題。基本的に政府の力で隔離を徹底的に行えば、伝染病は完封可能である。

だが、欧米の民主主義国家には、そんな芸当はできない。特にアメリカ人は、みなが自分勝手に行動するから、世界最大の感染者数、死者を生んでしまっている。

こうした状況を見て、中国共産党は喜んでいる。きわめてタチが悪いのは、それを国家の宣伝材料にしていることだ。自国民に対して、「ほら、見てごらん。民主主義が駄目なのがよくわかっただろう。アメリカは民主主義だから、きちんとコロナを封じ込めることができなかった。われわれの社会主義のほうが優秀なのである」と恰好の喧伝(けんでん)になった。

昔は民主主義に憧れていた人々も心変わりして、共産党の独裁政治を見直し、知識人でさえその傾向があるらしい。

どうしてアメリカであれほど流行が広がったのか、髙橋先生はどう見るのか？

髙橋　共産主義か民主主義かの違いでなく、単なる地域の違いだと思う（笑）。なぜなら、アジアにも民主主義の国は多い。日本とか台湾とか韓国などの感染状況は、そんなに悪くはない。また、世界で見ると、たしかに欧米の民主主義国はひどいけれど、ロシアなども同じく悲惨な状況を招いている。だから、結論を言えば、なんだかんだ言っても、〝地域性〟の問題なのではないか。

別に民主主義国がコロナがひどくて、共産主義国がうまく立ち回っているとは、私には思えない。さまざまなデータを集めてみたのだが、はっきり言って、やはり中国は得意の「嘘」をついていることがわかった。

どうして中国が嘘をついているのがわかるかというと、こんなデータが存在するからだ。Ｇ20の国で、１０００人当たりの感染者数を横軸に、死亡率を縦軸に取ったグラフがある。これで見ると、中国は非常に感染者数は低いのだが、死亡率は際立って高い。このからくりはけっこう簡単で、死亡者数の数字は誤魔化しにくいことから、実は感染者数を凄まじく少なくしているわけである。

こういう話は、次の国際比較のデータを見ているとわかる。死亡率が他国と比べて高い国があるが、ちょっとおかしい。

中国以外にも、同じ誤魔化しをしていた国があって、それはイタリアやメキシコで、イタリアは誤魔化しを追及されて認めた。けれども、このような嘘や誤魔化しはよく見られるものだ。

中国に戻ると、中国政府は感染率がきわめて低いと胸を張るのだが、死亡者数は日本の3倍もある。これは感染者を実数の3分の1程度少なく見積もったからだ。

嘘が簡単にわかった理由は、武漢から日本人が帰ってきたときの感染率を見たら、中国の感染率よりも数倍高かったからで、それはあり得ない。いくらなんでも、日本人がそんな危険な場所に出向くとは思えない。少なくとも日本人は武漢の一般人よりも、安全で衛生的な場所を選んでいるはずだから。

したがって、まずは武漢当局が感染者数について、嘘をついていることがわかった。習近平国家主席が疫病との闘いに奇跡的な勝利をおさめたと、中国メディアは称揚しているが、数字を見ればそれが間違いであることがわかる。

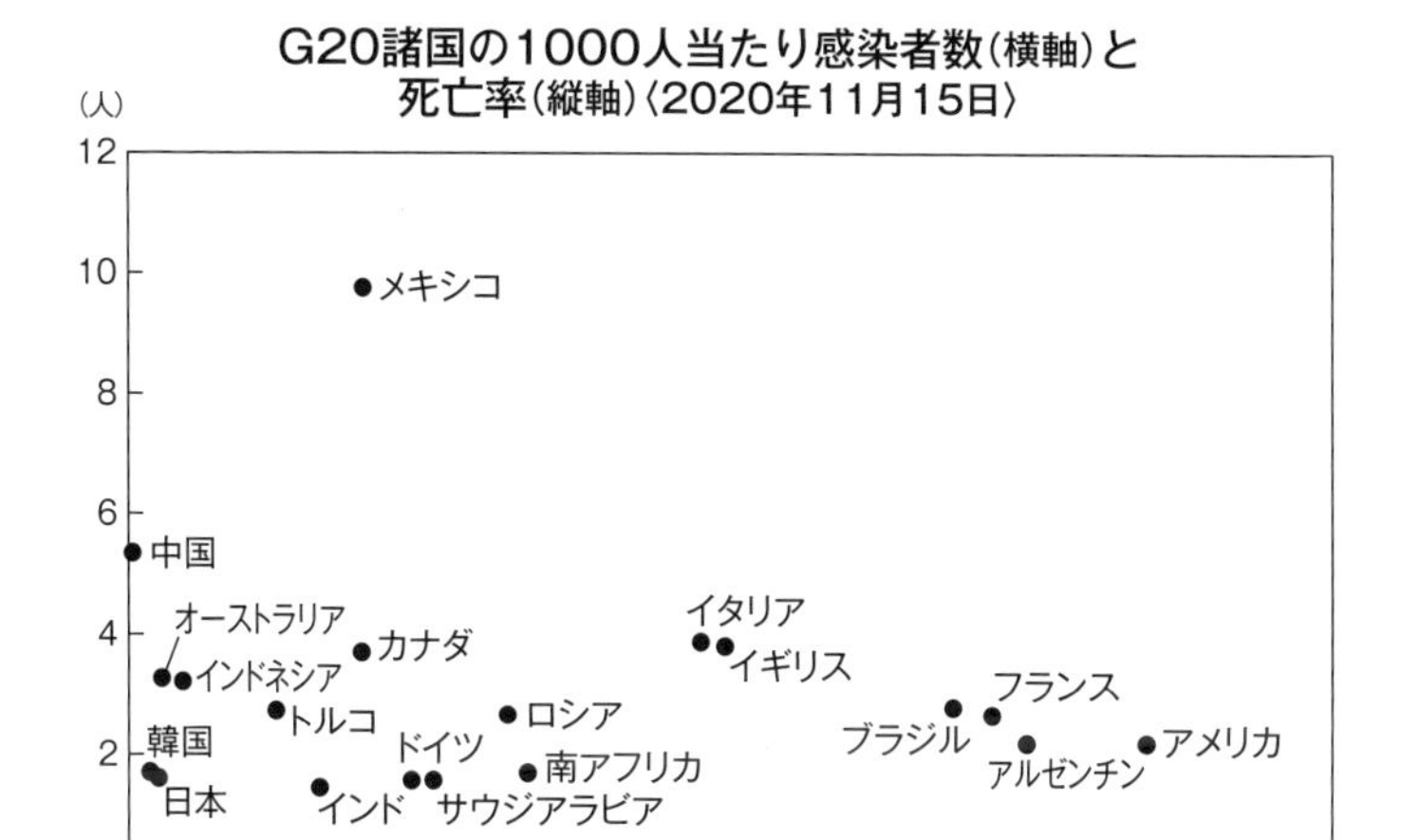

資料：https://www.worldometers.info/coronavirus/

要するに、あれだけ権力を振りかざして、必死にコロナ退治をしても、死亡率がかなり高いことが、その証左だ。むろん中国当局は死者数も誤魔化していたが、死者数は感染者数に較べると誤魔化しにくい。死者数をずいぶん誤魔化して頑張っても、死亡率は日本の３倍程度になってしまい、ちょっと格好が悪い（笑）。

死亡率の高い国はみな感染者数を誤魔化しているか、もしくは「医療崩壊」した国だと、私は分析している。

イタリアのコロナ大流行と一帯一路の因果関係

石平　髙橋先生は以前から、日本で医療崩壊の大拡散はないと言われ、実際にいまのところはそのとおりになっている。日本に対する評価はどうなのか?

髙橋　この手の話は、かなり時間が経過しないと結論付けられないものだが、私はマスク着用がカギを握っていると思う。アメリカでもようやくマスク効果を認めるようになってきた。海外に行くとわかるのだけれど、基本的にヨーロッパの人はマスクをしない。マスクをする習慣がないからである。

その点、日本人は花粉症でもマスクをするから、マスクに抵抗がない。あとは衛生観念の影響もあるだろう。だから、比較的同じような文化圏にあるアジアの感染率は低くなったのではないか。加えて、コロナ禍以降、アジア各国の交流が非常に少ないのも影響していると思う。

これも何年後かにはわかるのだろうが、最初に出たチャイニーズウイルスが強力になり、ヨーロッパに渡り、それがアメリカに渡ったという可能性は高いのではないか。それでアメリカとヨーロッパは悲惨な状況を招いてしまった。

石平　まったく悲惨だ。しかし中国政府の責任はいちばん大きい。武漢でコロナウイルスが感染拡大をし始めた段階で、もし中国政府が情報を隠蔽（いんぺい）せずに、ヒトからヒトへ感染するウイルスが発生したと情報開示すれば、間違いなくここまでの惨状にはならなかった。２０１９年の11月、12月の段階で、もし中国政府が情報を開示して世界各国に警告を発していれば、各国政府もそれなりの対応策を取ったはずであろう。

髙橋　言ってくれたら、それなりに防げただろう。イタリアの感染率がきわめて高いのは、やはり中国人が猛烈な勢いで進出しているからだと思う。一帯一路の協力がアダとなった。イタリアで蔓延（まんえん）して、ウイルスが強力化して、ヨーロッパ全土に広がったのではないか。これが私の見立てだ。

石平　なるほど。最近、イタリアもさすがに中国から距離を置き始めたようだ。

髙橋　当然だろう。イタリアに詳しい人に聞いたら、家具職人の中国人が雪崩（なだ）れ込んできたと言っていた。一帯一路に伴う中国人の移動と軌を一にして、新型コロナウイルスがヨーロッパ全土に広がった。

日米欧の中央銀行が揃って打った経済対策

石平　最近、いわゆる中国共産党寄りの一部の知識人は、「アメリカはもう終わった、コロナ禍はアメリカが挫折して、中国が台頭する分水嶺（ぶんすいれい）になる」とする論調を展開し始めているが、髙橋先生は笑っておられる。

髙橋　（笑）死亡率を考えると1％ちょっとだから、コロナはちょっとひどいインフルエンザ並みといえる。そういうレベルだから、逆に言うと、これだけコロナが広がると日本もそうなのだが、インフルエンザの死者数が減っている。だから、全体的に見ると、案外たいした話ではない。

店を営業しても、あまり死亡者が出なくなっている。これが明確にわかってくると、経済に対する影響は少なくなってくるわけだ。ただし、第3波ではそうも言えなくなっている事情はある。

最初は何もわからないから非常に不安だし、恐怖感もあってシャットダウンしたのだけれど、最近は大統領が罹っても死なないといった認識に変わってきたのではないか。イギリスのボリス・ジョンソン首相も、ブラジルのボルソナロ大統領も死ななかった。

ある程度のコロナ対策を講じれば、死者はそんなに出ないことがわかってきたし、薬でかなり死者を抑えてきたことで、最近の致死率はどんどんと下がってきている。

いまはワクチン待望論がすごく盛んなのだが、いずれ時間が経つとワクチンを打たない人がかなり増えてくると、私は思う。要するに、既存の薬で何とかなることが判明してくると、ワクチンを打たなくなる傾向が強まる。ワクチンができると、既存の薬とワクチンと選択肢が増えてくるので、どちらにしても国民には望ましい。

石平　では、コロナ禍はアメリカ経済に、取り返しのつかない深刻な打撃をもたらすことはない。

髙橋　私はそう思う。当然だが、シャットダウンをすると、経済活動が落ちるのは間違いない。経済活動が落ちたときにどう対応すべきか。

日米欧は共通する対策を打った。国債を大量に発行し、中央銀行が買い取るという手法であった。平時にはこういう手法は「禁じ手」と言われているのだが、コロナのようなショックに見舞われると、需要が強烈に萎(しぼ)んで物価が上がりにくくなることから、この手を講じても問題はない。

そのとき、私は安倍首相（当時）に進言した。安倍さんと「コロナ禍ではサプライチェーンがうまく機能せず、インフレになるという意見があるが、本当のところはどうなのか？」という話になった。私は即座に「それは間違っています」と返した。そしてこう続けた。「コロナ禍においてはさまざまな分野の需要が一気に減少するので、ちょっとデフレ気味になります。だからそのときに、中央銀行が国債を買って市中にお金を出しても、実はインフレになりません」

それで政府と日銀は動いた。むろん、インフレにはならなかった。知ってのとおり、100兆円程度の経済対策があっさりとできた。これはどこの国もやっていることで、先進国においては特別な手法ではない。今後もコロナのような一時的なショックに見舞われた際には使える手法ではある。今回も政府と日銀でコロナショックを凌(しの)げたわけだが、この手法は案外と尾をひかないものだ。

石平　コロナの困難がある程度おさまれば、アメリカ経済の回復力もけっこう強いと考えていいのか？

髙橋　はっきり言うと、お金を刷って、経済の落ち込みをチャラにしてきたから、コロナの心配がなくなってきたら、アメリカ経済は急上昇すると思う。

石平　落ちた分を急激に回復する。

髙橋　時間はかかるが、いずれ回復するだろう。そのためにはコロナの心配がなくなっていることが重要だ。当面は患者さんが増えると思うけれど、死亡率が減ってきたら、たいした話ではないと安心感が広がってくるだろう。それに、最近はワクチンの話が急ピッチで進んでいる。２０２０年内には安全なワクチンが出回り始めるだろう、さすがアメリカだ。

コロナ対応は案外簡単である。これが私の答えだ。だから、アメリカがコロナ禍で没落し、中国が伸びていくという図はないと思う（笑）。

石平　そうか。いまの髙橋先生の話を聞いたら、習近平先生はまた落胆するな（笑）。

考えられない米巨大ＩＴ企業の分割・解体

石平　案外コロナの影響はたいしたことはなく、先進国の中央銀行がお金を刷りまくって、経済のダメージを防ぐことができる。だから、アメリカや日本の企業の業績も、想像以上に早く立ち直ると髙橋先生は予測された。私も同感である。

そこで気になるのが、新聞やネットを見ると、アメリカの巨大ＩＴ企業が市場を独占し、力をつけすぎたため、かつてのように分割・解体が行われるのではないかとの憶測が流されている。これについてはどう予測するのか？

髙橋　予測も何も、そもそもＩＴ企業の分割や解体は無理というか、できない。分割・解体を声高に叫んでいる人たちは、「Ｇｏｏｇｌｅをどうやって分割・解体するのか」と尋ねたら、答えに窮するはずである。

ＩＴ企業を解体すれば、広告部門以外は全部赤字だから、少しでも手をつけたら、すべての部門が潰れてしまう。巨大な広告部門にさまざまな事業がくっついているので、事業の分割はできない。

石平　要は、昔とは違うということか。

髙橋　かつてのAT&TとかUSTRとかいった、製造部門を持つ巨大メーカーは分割ができたが、昨今のIT企業は分割すると、超赤字化と超黒字化とのどちらかしかないから、分割はできない。

石平　マイクロソフトが分割できなかったのも、同じ理由なのか？

髙橋　そう。IT企業だから。要するに、Googleは広告部門が猛烈な勢いで儲かっているのだけれど、他はすべて無料でサービスしている。だから、無料で行っている事業を分解した途端に、全部が潰れる。

だから、分割がそもそもできないのが、IT企業の特色なのである。それをみんなわかっていて、分割・解体論をぶつ。仮にそんな暴挙に出たら、最後は何もできないで潰れるしかない。

したがって、GAFAはじめ巨大IT企業が、せいぜい課徴金を払って終わる程度にしかならない。その課徴金についても、広告宣伝の稼ぎに較べれば、ゴミみたいなものである。GAFAあたりなら、必要経費にもあたらない。だから、巨大IT企業の答えは決まっていて、解体など不可能だから、課徴金を気前よく払って、それでおしまい。そんなところで落着する、たいした話ではない。

石平　フランス当局がＧｏｏｇｌｅに課税すると息巻いている。

髙橋　最後には、Ｇｏｏｇｌｅは払う。いまは文句を言っているけれど、たいした金額ではないのだから。課徴金を1億ドル払っても、Ｇｏｏｇｌｅは広告で、間違いなく儲かる。だから、世界中のユーザーがさまざまなＧｏｏｇｌｅのサービスを無料で使えるわけである。Ｇｏｏｇｌｅｍａｐだって、無料だ。仮に分割したら、そうした芸当ができなくなる。

ＩＴ企業には、ここまで述べてきたような特色があるから、分割するという案が浮上してきても、どう分割するのかという議論で終わってしまうのがオチだ。

だから、ＥＵにしても、最終的には課徴金、制裁金を課して終わるしかない。それもＧｏｏｇｌｅにとれば、痛くも痒（かゆ）くもない金額、高くても数十億ドル程度になるのではないか。私はそう読んでいる。だいたいコンピュータをわかっている人ならば、分割・解体は無理なことは知悉（ちしつ）しているはずだ。分けようがない。

したがって、巨大ＩＴ企業のほうが、国家のかなり先を行っており、賢いのだと思う。マイクロソフトも分割を免れたし、せいぜい洗礼を受けたのはＡＴ＆Ｔあたりまでであった。

単純なメーカーであれば、ある程度ラインがはっきりしている。だから、分割で採算がとれる。ところが、繰り返しになるが、Ｇｏｏｇｌｅなどのビジネスは境目がわからない。広告収入以外の部門は揃って超赤字。Ａｍａｚｏｎも含めて全部そうである。強引に地域分割するなら可能かもしれないが、Ｇｏｏｇｌｅだと地域分割もできない。

ワクチンは新型コロナウイルス問題の切り札にはならない

髙橋　ワクチンに話を戻すと、既存の薬で対応できるならば、実はワクチンは要らなくなるだろう。すでに、既存の薬の組み合わせで死亡率が下がることが判明している。トランプにしても、既存の薬の組み合わせで治ってしまった。ただし、ワクチンの効用も否定しない。アメリカは、そのうち、既存の薬とワクチンの両方を手に入れるだろう。

石平　トランプといえば、中国でひどいニュースがあった。観光バスに乗っていたら、突然、バスガイドが「皆様に良いお知らせがあります。先ほど入った情報では、アメリカのトランプ大統領がコロナに罹ったそうです！」と伝え、バスのなかは拍手に溢れた。いくらなんでも、人の病気を喜ぶのは良くない。

もう1つ中国が本気で喜んでいるのは、コロナ禍のなか、アメリカで黒人が警察官の蛮行により死亡したことがきっかけで各地で大暴動が起こり、左翼のＡＮＴＩＦＡ（アンティファ）が出てきたことだ。

中国メディアはＡＮＴＩＦＡを材料に、アメリカの人権問題を盛んに取り上げている。黒人の人権をアメリカ人が抑圧しているから、黒人が暴動を起こした。だからアメリカは駄目だ。アメリカは大混乱に陥っているが、中国は安定している。

要するに、中国はあらゆる面でアメリカより優れている。アメリカはもう終わった。中国はこれから本格台頭の季節を迎えるのだと、人民に喧伝している。

髙橋　アメリカに社会不安があるのは間違いないところだが、これまで民主主義国はそうした要素をけっこう織り込み済みで、対応してきた。

いま中国が躍起になっているワクチン外交が、どこまでうまくいくかが話題になっているけれど、アメリカはさまざまな医薬剤を握っていて、ジェネリックをふんだんにつくっている。私などは、そのうちにワクチンなど思ったほど意味がない日が来ると、予測している１人である。だから、ワクチンが外交の切り札になると信じ込んでいること自体、中国は間違っていると思う。

米大統領選の混乱に乗じて台湾を狙う中国

石平　私がむしろ心配しているのは、いま以上にアメリカ社会に、亀裂や分断が深まることだ。

髙橋　たしかにそれはある。トランプが大統領になってから、アメリカの亀裂や分断は激しくなってきた。

石平　いままでのアメリカは大統領選挙では、共和党と民主党が激しく戦うとはいえ、民主主義の枠組みのなかで、最後は収まった。勝敗の結果が出ると、勝ったほうが勝利宣言を出すのと同時に、負けたほうからは祝福の意を表すのである。そうなるとアメリカは選挙中の争いを乗り越えて再び１つになる。そして四年後にはまた同じことが繰り返されてアメリカの民主主義がうまく機能していたのである。しかし今回ばかりはそうならないかもしれない。これからはひょっとして、民主主義の枠組みのなかで収まらない可能性があるのではないか。

高橋　ただ、それでもアメリカは民主主義の国だと思う。選挙を実施している限りは民主主義だから。一党独裁と何が違うかというと、選挙があるかないか、そこに収斂される。選挙があるうちは、選挙のなかで分かれているだけだ。

石平　今回のアメリカ大統領選に当たっては、私はバイデン氏に負けてほしかった。後述するように、彼は家族ぐるみで中国の習近平と深い関係にあるため、アメリカ大統領となれば中国に甘い態度を取るのではないかと憂慮していたからだ。しかしそれでも選挙の結果でトランプとバイデンのどちらが勝つにせよ、今までのように負けたほうは潔く負けを認めて相手に祝福をして、それで終わるだろうと私は思っていた。だが実際には、選挙の不正を巡り、揉めに揉め、トランプは敗北宣言をするのを拒んでいる。私としてはトランプ大統領の再選を何よりも望んでいるが、何よりも心配しているのはアメリカの民主主義が機能不全に陥ることだ。

高橋　残念ながら、トランプがあっさりと敗北宣言をするとは思えない。往生際が悪くないと、アメリカでは〝尊敬〟されないからだ。最後の最後まで知恵と気力を振り絞って諦めない人が、アメリカではけっこう好まれる。そもそもアメリは訴訟社会なので、訴訟する権利は大統領にもある。それと、アメリカの選挙制度があまりに古すぎることも、大きな原因となっている。

２０００年の大統領選挙のとき、私はアメリカにいた。ゴアとブッシュの戦いだった。興味があった私は、知り合いのアメリカ人に頼んで、一緒に投票所まで連れていってもらった。そこで衝撃を受けた。日本人の感覚では理解不能で、アメリカ人にはそもそも字が書けない人が多い。書ける人の字もぐにゃぐにゃしていて、読解不能。だから、みんなタイプを打つわけだ。

選挙の投票用紙に字を書けと言っても、その字が読めない。だから、当時は苦肉の策で、パンチを使っていた。投票券にパンチをガチャッと押す。ところが、入れ方によってはちょっとずれたり、ギリギリのところに押してあったり、それらをどう判断するかで大揉めに揉めていた。いちおうパンチという道具はあったものの、うまくいかなかった。だから、日本人から見たら、不適切というか、不正があり得ると思うはずだ。

もう１つ、アメリカは限定的にしか日本では認めていない、郵便投票を採用している。これは配られてきた投票用紙に候補者の名前を書くか、印を付けて郵送する方式で、アメリカ人の多くは、有権者の権利だと郵便投票を認めているが、不正が皆無とは思わない。今回はコロナ禍ということもあって、全投票数の半分が郵便投票と期日前投票が占め、残りの半分が当日投票の分だと言われている。だから、その日の投票分では共和党のトランプがリードするのは間違いないと思っていたが、やはりそのとおりになった。

その後、郵便投票が開票されていくのにしたがって、形成が逆転していく。最終判断については、おそらくトランプ側が「フェイク投票があった。おれは票を民主党に盗まれた」と訴えるだろうから、裁判手続きになる。そうすると、揉めに揉めて、裁判でどこまで再カウントするか、不正を認めるかどうかという話になっていく。私はそこまで予測していたが、これまた読みどおりの展開となった。

アメリカでは各州に大きな権限が与えられている。訴訟で揉めて州議会が認めないと、12月14日のその州の選挙人がその後の最終投票に行けない可能性がある。かつて、結果的に選挙人獲得数がギリギリだったため、下院選に委ねられたケースがあった。ただし下院選は1議員1票でなく、1州につき1票方式なので、いまの状況ならば25対19で、共和党の勝ちとなる。これも古式ゆかしいアメリカ選挙の伝統で、1州の重みが考慮されている。

石平　トランプの任期が切れても、決まらないかもしれない。

髙橋　現時点（2020年11月）ではわかりかねるが、2021年1月20日には新大統領の就任式の手続きがある。それまではトランプが現職の大統領でいることになる。ただし、多くの州でトランプは訴訟しているが、1つでも落とすと万事休すで、12月14日の選挙人選挙の前におしまいだ。トランプの訴訟は不調で、行き詰まる公算が高く、12月14日まで行かないかもしれない。

石平　それでは、なかなか新しい大統領が決まらなければ、トランプが1月19日までは大統領の権限を行使するのか？

髙橋　手続き的には、ゴタゴタがあっても、最後は決まるようにはなっている。2000年のゴアとブッシュのときも、12月12日に最高裁の判断に委ねることになった。だから、揉めて決定が遅れれば遅れるほど、最高裁の判断が重要になってくる。

今回、最高裁の判事を入れ替えたため、判事9人のうち保守派6人、リベラル派3人になった。すると共和党に有利な判決が出る確率が高い。その意味では、揉めればば揉めるほどトランプが有利になるはずだ。ただし、前述したようにそこまで行かない可能性も高く、あるブックメーカーの掛け率を見ると、トランプが12月1日までに敗北宣言をする確率は9割近い。要するに、いま、トランプ大統領の再選は「大穴」扱いだ。

もしもトランプが敗北宣言を出さずに粘っているときに、習近平国家主席が台湾にちょっかいを出したら、トランプは「おお、ラッキー」と軍を投入して、人民解放軍を蹴散らしてしまうであろう。そうなれば、世論がガラッと変わり、最高裁が裁定を出す可能性はゼロではない。いまの状況はトランプには不利だけれど、また、習近平サマサマになるかもしれない（笑）。まあ、習近平もそこまでアホではないだろう。

石平　おそらく習近平たちもそれがわかっているから、彼らはとにかく21年1月20日まではじっと我慢してトランプ大統領を刺激しないようにするのであろう。むしろトランプ大統領のほうから主導的に仕掛けたほうが良いかもしれない。すでに「違法」だと認定している中国の南シナ海の軍事拠点を一つ二つ叩き潰せば、アジア諸国は大喜びするし、アジアの秩序がこれで回復される。トランプ大統領に期待しよう。

Ｑｕａｄにイギリスが加入する可能性

石平　視線をヨーロッパに転ずると、ドイツのメルケル首相が引退し、イギリスはＥＵから離脱するなど、ヨーロッパの勢力図にもかなり変化がありそうだ。

髙橋　ＥＵにとってイギリスの離脱は、経済的に大きなマイナスになるのは間違いないし、当のイギリスもマイナスを被る。つくづくイギリスは面白い国だと思う。離脱などしなければいいのに、本当に離脱してしまったのだから。しかしながら、これは日本にとりありがたいことで、日英ＥＰＡ（経済連携協定）の合意を取り付けることができた。これはＥＵと同じ内容なので、比較的に交渉が楽である。

今後、ひょっとしたら、ＴＰＰ（環太平洋パートナーシップ協定）に加入するかもしれない。イギリスも、ＥＵを離脱したのだから、その経済的な代償を何らかの手で補う必要が出てくる。さらには、安全保障まで及んで、Ｑｕａｄ同盟、セキュリティ・ダイヤモンドにイギリスが加入してくるかもしれない。イギリスは元英連邦だから、日本以外のＱｕａｄ加入国とは関係が深い。特にアメリカとインドがギクシャクしたときに、日本とイギリスが間に入っていると、話をスムーズに進めやすくなる。

仮にＱｕａｄにイギリスを入れてしまうと、イギリスはいちおう核保有国だから、存在感はさらに強まる。

石平　そうすると、他の英連邦の国も参加しやすいかもしれない。実際、オーストラリアもインドも入っているし、イギリスが加入すれば、カナダあたりも入ってくる可能性がある。

髙橋　やはり、英語圏は強い。なんだかんだ言っても、言葉が一緒なのだから。中国はその英語圏を、香港問題で徹底的に敵に回してしまった。そのあたりは本当に中国らしい勘違いをしてくれた。いや、ありがとう習近平様という感じだ。

石平　いまでも習近平の傲慢(ごうまん)なふるまいで思い出すのが、２０１６年に浙江(せっこう)省の杭州(こうしゅう)市で開催されたＧ20サミットである。ホスト役の習近平は、安倍晋三首相の顔をまともに見ようとしなかった。

髙橋　本当に失礼な態度だった。それで、そのときの杭州のＧ20サミットに参加した民主国家の首脳は、中国のさまざまな差配を目の当たりにして、ここまで統制するのかと、みな驚きを隠せなかったようだ。北朝鮮の感覚というか、北朝鮮のマスゲームを見ているような感覚に襲われたのだ。

そのときに安倍さんとイギリスのメイ首相の2人は、「これはわれわれ民主主義国ではない」と肯き合っていた（笑）。絶対に西側ではあり得ないと。そうした感覚は、西側首脳の共通した感覚だった。

石平　要は、それが習近平のやり方なのだ。それらは結果的にすべて、西側の首脳の神経を逆撫(さかな)でするわけである。習近平本人はそういうつもりではなかった。中国のすごさを見せつけたかっただけだったけれど、猛烈な反感を買ってしまった。しかも、それを習近平本人は知らずに、得意満面であった。そんな馬鹿な中国共産党指導者は、一面においてはまさにありがたい存在ではないのか。

習近平のピークは2016年だった

髙橋　あの杭州開催のG20サミットは、中国にとって絶対にマイナスだった。習近平本人は気がつかないかもしれないが……。

石平　習近平がすることのほとんどは裏目に出る。謙虚さは欠片もないし、自分が頭が悪いことを自覚していない。しかも傲慢で野心だけが大きい、最悪のパターン。だからこそ、習近平さんはありがたい。

髙橋　ありがたい。２０１６年が習近平のピークではなかったか。なぜなら、その後にトランプ登場で大変になったから。２０１６年の９月に杭州でＧ20サミットがあって、11月にトランプが大統領選に勝利して、世界の舞台に出てきた。習近平の落ち目はそこから始まった（笑）。当時、杭州から戻ってきた安倍さんが「すごいサミットだった」と洩らしていたが、この「すごい」という意味は、西側国ではあり得ない違和感、嫌悪感が込められていた。

２０１６年から習近平の落ち目が始まって、２０２０年に香港を毀したことで、評判がガーッと一気に落ちた。

石平　それでも世界を見渡せば、親中国はけっこういる。

髙橋　たくさんある。国連加盟の小国をメインに、そうとうな数にのぼる。だから、国連人権委員会を開催すると、いつも中国のほうの賛成が上回る。

石平　1人当たりGDPが飛び抜けて低い国の大半が親中国になっている。ただし、親中国の国々の唯一の役割は、国連で中国側につくことのみで、それ以外は意味がない。それ以外は中国にとってはマイナス。お金をせびられるだけだ。

だが、これも習近平の〝面子〟である。要するに、人民日報の一面に「国連でわれわれが多数派であった」と書けるからだ。朝日新聞も追随する（笑）。

もしも習近平がゴルフをしていたら世界は変わったのか？

髙橋　たしか私の記憶では、その杭州サミットでオバマ大統領がゴルフをやりたかったのだけれど、警備上の理由から、プレーが叶わなかった。もし、習近平がゴルフをしていたら、いまのような落ち目にならなかったかもしれない。あるいは、流れが変わったかもしれない。けれども、いまの習近平はゴルフを汚職の温床と捉えている。

石平　そもそも中国の皇帝は、自分で体を動かすのは好まない。皇帝様は、自分で体を動かさないものだからだ。位の低い人が体を動かす。だから、皇帝は　スポーツ自体やらない。漢民族の皇帝なら乗馬もしない。満州族の清朝の皇帝なら狩猟はすると思う。

髙橋 それでは、習近平はずっとゴルフはしないわけだ。

石平 しない。興味もない。

髙橋 オバマはゴルフ上級者で、かなりうまかった。けれども、安倍さんはオバマとはプレーしたことはない一方、トランプとは断トツに多くプレーした。アメリカ大統領を2時間以上独り占めできるのだから、日本の国益に大きな貢献をした。

アメリカでのゴルフは、日本と違い、基本的にビジネスゴルフはない。だからゴルフは、アメリカでは非常に打ち解けた人とするものとされている。アメリカ人はビジネスランチは、ビジネスとして割り切れるが、ゴルフは別という感覚なのだ。一緒にゴルフをする人とは、個人的に仲が良く、ウマの合う相手を意味する。

トランプは大のゴルフ好きだったから、もしも習近平にゴルフの趣味があれば、米中確執の展開も変わっていたかもしれない。

トランプの前のオバマとも、習近平は丸2日間、カリフォルニアで過ごした。たしか2013年6月に、「新型大国関係」を習近平がオバマに呑ませようと訪米したときである。そこでも、ゴルフで突破口を開けたかもしれなかった。

いずれにせよ、習近平はゴルフで２人の大統領に接触できなかったのは、痛かったのではないか。

第4章

したたかな菅政権の行方

菅首相就任に一番乗りで電話してきた習近平の狙い

石平　２０２０年９月16日、菅義偉氏が新首相に指名された当日、なんと習近平国家主席は各国首脳のなかでは一番乗りで、祝電を送ってきた。

中国の国家主席が日本の首相に向けて祝電を打つ。これは珍しいというか、いままで前例がない。というのは、中国の国家主席は日本の首相より〝格上〟だと思い込んでいるからである。要するに、国家主席は天皇陛下と対等な立場だと考えており、日本の首相のカウンターパートは中国の首相（国務院総理）と勝手に位置付けている。

だから、習近平がそこまでするということは、菅首相を何が何でも取り込もうとする意図が透けて見える。

中国側は即座に、習主席と菅首相の電話会談の実施を要請してきた。私はその後の菅さんの対応を見て、久々にわくわく感を抱いた。

習近平が一番乗りで祝電を送ってきたのに、習近平との電話会談をほぼ最後に回したからであった。菅さんはまずアメリカ、続いてオーストラリア、イギリス、EU主要国首脳との電話会談をこなした。そして習近平と電話会談をする直前に、よりによっていまや中国と犬猿の仲になったインドのモディ首相（笑）と話し合った。

9月25日の晩になってから、初めて習近平に電話をした。習近平は完全に面子を潰された格好であった。真っ先に祝電を送ったのに、電話会談を最後に回され、しかも文在寅（ムンジェイン）よりもあとなのだから。これは、菅さんがけっこう考えた末の順番なのだと、私は思った。

髙橋　外交とは順番がすべてだ。はっきり言って、順番は〝メッセージ〟である。

石平　そう。すごいメッセージだと思う。

髙橋　それはQuad（日米豪印首脳・外相会合）を開催するのが決まっていたから、メンバーを最優先したわけだ。

石平　だから、2番目はオーストラリアの首相だった。

髙橋　Quadは中国包囲網だから。

石平　もう1つ、習近平が25日の電話会談に出て、おそらく彼がいちばん期待したのは何か。それは、菅新首相の口からもう一度「国賓訪日」の話を持ち出されることであった。

だが、安倍政権が一度決めたはずの、習近平の国賓訪日の件は一切出ず、事実上の棚上げとなった。

習近平もさすがに落胆したと思う。この言葉こそ、喉(のど)から手が出るほど欲しかった。というのは、さすがに習近平自身から菅さんに言い出せないのだから。

髙橋 それは言い出せない。だから、菅さんが習近平を放っておいた(笑)。日本はQuadをやっているから、そう簡単には言ってこないと、中国も思っていたのではないか。

石平 菅さんは基本的に中国との関係について、どういう考えを持っているのか?

髙橋 あまり興味がないのではないか。二階さんが、いちおう自分を押してくれたから、二階さんの顔をどうやって立てるかだけだと思う。

安倍さんはトランプにレクチャーしたくらい、基本的に中国を警戒していた。しかしながら、二階さんには気を回さなければいけないが、菅さんも安倍さんと似た立場だと思う。

石平 習近平の面子を立てるよりも、二階さんの面子を立てるほうが大切とは(笑)。

髙橋　二階さんの面子の立て方にはいろいろあって、二階さんは、別に思想や信条で中国が好きなわけではない。ただビジネスのみを重視する。

　二階さんは『観光立国宣言』（丸の内出版）という本を出すほど観光ビジネスに熱心で、今回の「Ｇｏ Ｔｏ トラベル」にも一生懸命に取り組んでいる。二階さんには特段の思想信条は見られないし、それは菅さんも同じだ。安倍さんほどの思想信条を持ち合わせてはいない。

　菅さんが親中と言われているのは、二階さんが親中なのを知っているから、たぶんバランスを取ろうと思っているのだろう。菅さんは、かなり実利的な人だ。どちらかというと国内マターのほうに興味があるから、海外マターについてはほぼ従来路線踏襲ではないのか。

外交は安倍踏襲だが、内政では独自色を発揮

石平　首脳会談の順番を、合理的に戦略的に決めた菅さんだったが、最初の外遊先にベトナムとインドネシアを選んだ意図はあるのか？

髙橋　安倍さんの第2次政権のときの最初の外遊先は、彼はＱｕａｄをやりたかったから、ベトナムとインドネシアというＡＳＥＡＮのなかでいちばん中国と縁遠い国を選んだ。

菅さんもまったく同じやり方をしたのだと思う。安倍さんはベトナムとインドネシアとタイだった。タイも比較的ＡＳＥＡＮのなかでは日本に近い。ただし今回、タイは政情不安のために行けなかった。だから、菅さんはベトナムとインドネシアに行ってきた。

これを見てもわかるように、菅外交は安倍さんのやり方を踏襲している。私の予測では、菅外交の独自色はかなり薄くなるはずだ。そのかわり、国内政治については、存分に独自色を出すのではないか。

石平　それでいい。ちょうどいいと思う。

髙橋　それは、いざというときの外交で、経験豊富で世界各国の首脳と知己を持つ安倍さんという「安倍カード」があるのを見せつけながら、やっているのだと思う。

石平　そうだろう。安倍さんは、世界各国首脳のなかで顔も利くし、知り合いも多彩だ。

髙橋　安倍さんから替わったときに、菅さんに各国首脳が電話をたくさんかけてきた。その内容がみな判で押したように、「安倍は大丈夫か」という質問ばかりだったそうだ（笑）。それは後任者としてはびっくりしたと思う。

石平　菅さんは、ご自分の強さと限界の両方を知悉（ちしつ）しているように感じる。外交ではどうせ自分は安倍さんを超えることはできないから、超えられないなら、安倍路線を踏襲すべきだと割り切った。そういう意味では、政治家としては非常に賢明な人物ではないか。

髙橋　安倍さんを利用するというか、安倍さんは7年も8年もやっていたから、とてもではないが敵わない。けれども、レールを敷いてくれた安倍さんの存在はありがたいはず。したがって、わざと安倍路線と違うことをやる必要はない。

外交は当面はほとんど踏襲で、国内に関しては携帯電話料金とか、そういうすごくわかりやすいマターに絞りたい、そういう感じだと思う。

野党とマスコミが否定できない菅政権の政策テーマ

石平 菅首相はデジタル化を掲げている。自治体ごとにシステムの仕様が異なっていることを問題視し、5年後に統合すると言及しているが、あれは本気なのか?

髙橋 デジタル庁は創設する。菅さんが掲げる国内政策については大きな特徴があって、すべて具体的な話であることだ。安倍さんと菅さんの違いはそこだと思う。

安倍さんはどちらかというと、外交をはじめ、大所高所から論じる抽象的なものが多いが、菅さんはそうではない。

石平 携帯料金の値下げだとか、けっこう見える形で、国民生活に踏み込んでくる感じが強い。

髙橋 そのとおりだ。不妊の治療費を出すことなども、その一例だろう。

石平 なかなか細かい。

髙橋 細かい。新聞などは、そういうテーマは総理がする話ではないと揶揄(やゆ)するのだが、実はいつも内容が具体的なので、マスコミが攻めにくい。つまり、実利的で、対抗軸が非常に打ち出しにくいものばかり掲げるわけだ。
安倍さんみたいに憲法改正の話が出てくれば、マスコミは「反対」と簡単に言えるのだが、菅さんの政策についてはそうはいかない。

石平　そうか。携帯電話料金の引き下げに、反対など言えない。反対したら馬鹿だ（笑）。

髙橋　「不妊治療を公費で負担します」もそうだ。菅さんがやることのほとんどは、反対しづらいものばかりだ。

石平　逆に、野党にとってはなかなか手強い。

髙橋　やりにくいだろう。だから、日本学術会議の任命拒否の件に議論が集中してしまった。しかしこの件についても、学術会議の会員は100人に1人程度しか選ばれないから、ほとんどの学者とは関係がない。

石平　しかも、誰も選挙で選ばれるわけでもない。

髙橋　あんなのは適当に選んでいるのは、誰もが知っている。

石平　そうか。騒いでいるのは任命を拒否された6人と、あとは朝日新聞と毎日新聞が騒いでいるくらいだ。

髙橋　学問の自由だと言ったたって、私も大学教授だけれど、別にあの6人が任命されなくたって、学問の自由はあるのだから、まったく関係はない。しかも、任命拒否されたのは法学者で、法律違反というが、法学者なら訴訟すればいいのに、訴訟もできずに国会で騒いでいる段階で終わりだ。

石平　彼ら6人が任命されなかったからといって、他の学者には関係ないし、ましてや、われわれ一般の国民にとっては何の関係もない。

髙橋　議論のなかで、学術会議の連中が、国防の研究はご法度（はっと）だと言っているのが露呈してしまった。学術会議にはもともと左巻きの人ばかりが集まっているので、菅さんが何を言っても、馬耳東風だと思う。

石平　逆に野党にしては、他に菅政権を攻め込むところがない。

髙橋　あんなものに食いついてしまったのは、野党と新聞の負けだと思う。あれは前からの案件で、学術会議は国の機関というところからして問題なのだ。アカデミーが国の機関なのは、実は日本と中国と韓国とインドネシアぐらいしかない。

石平　そうか。中国は当たり前だ。中国と同じだなんて、格好が悪い（笑）。

髙橋　ノーベル賞を授与するスウェーデンの王立アカデミーは、実は非政府組織で、時の政権とは何の関係もない。アメリカのアカデミーもすべてが非政府機関。ヨーロッパもすべて非政府機関。日本の学術会議がけっこう中国の学術会議と仲が良いのは、同じ仕組みだからである（笑）。

ただし、政府が補助金を出すのは一般的である。だから、今回の問題の解決は簡単で、補助金は出すけれど、学術会議は政府機関でなくするから、任命は好きにしてくれ。それで終わってしまう話だ。与党としては、こんなに野党と新聞が食いつくとは思わなかったのではないか。

石平　だから、この件ぐらいしか食いつくネタがなかった。不妊治療でお金を出すのに反対したら、国民から顰蹙（ひんしゅく）を買ってしまう。あとは、いわゆるアベノミクスみたいな総合的経済政策については、菅さんはどういうつもりでいるのか？

髙橋　基本的にはアベノミクスを引き継ぐのだけれど、安倍さんみたいにデフレ脱却とかはあまり言わない。これだけ国民の負担が少なくなりましたという政策が多い。悪い話は、基本的に菅さんからは出てこない。

『政治家の覚悟』で菅首相から逆襲を食らった毎日新聞

髙橋　菅さんが首相になってから、『政治家の覚悟』という本が文春新書から出て、それが話題を呼んだのだが、マスコミはまったく的外れのことばかりあげつらっており、私は呆(あき)れ果てた。

この本は菅さんが2012年に出版したハードカバー本を復刻・再編集したもので、マスコミはハードカバー版には、「すべての公文書は残さなければいけない」とあった部分が今回の新書では落としてあるのは何事だと叩いた。

けれども、実際には編集上削っただけで、菅さんのブログやHPにはそのまま残っている。菅さんからの逆襲を食らった毎日新聞をはじめとするマスコミは、そんなことさえ調べずに拳を上げたから、非常に後ろめたかったのではないか。

ただ、この『政治家の覚悟』を読むと、ものすごく具体的で、新聞が取り上げられないほどの具体的な事実の指摘がふんだんに記されている。たとえば、在日特権を許さないとする話。要は、在日北朝鮮人に対して、これまで税金をおまけしていたのをやめさせたことである。たとえば、関西テレビの「あるある大辞典」の内容に捏造があったので、これはこういうふうに処理したことが書かれてある。

こんな内容は、テレビ番組では絶対に無理だ。関西テレビの捏造番組の話では、実はこれにはインサイダー疑惑もありますとも書いてある。最初は毎日新聞が「公文書のところだけ落としている」と喜んで記事を出したのだけれど、続きが書けなくなってしまった。もう、超具体的にマスコミに不都合なことばかりが出ている。菅さんにとって、マスコミに不都合な話など平気だから、これからマスコミは大変だと思う。

石平　菅さんは、マスコミにとっては天敵になるかもしれない。髙橋先生からそうした菅新首相の頼もしさを教えられると、内政は堅実かつ緻密に、外交は踏襲という路線で進むならば、けっこう菅政権は長持ちするかもしれない。

派閥に属さない首相の強みと弱み

髙橋　ただし菅さんには派閥がないから、選挙次第だと思う。選挙に負けたら、あっという間に落とされる可能性がある。

石平　安倍政権が7年以上も続いたのは、やはり選挙にずっと勝ち続けたことが大きい。

髙橋　派閥がないと、誰も推さない。菅政権が続くか続かないかは、次の選挙次第だ。

石平　安倍さんのときに、靖国神社参拝のことがずいぶんとテーマになったが、菅さんは靖国に対してはどういうスタンスで臨むつもりなのか？

髙橋　あの人はそんなに保守という思い入れもないから、ニュートラルの立場を通すのではないか。

石平　ニュートラル？

髙橋　菅さんの周りの人は靖国に行け、とは言わない。菅さんがガチな保守系かというと、あまり思想信条がない人だから、そういう意味では保守系の人たちから見れば、不満かもしれない。保守系の人はたいていは、まずそういうふうなところから入る。

靖国に行かないのはけしからんと言う。けれども、普段から行かない人から見たら、なんでそんなにこだわるのか、という感じになる（笑）。菅さんはそちらのほうだと思う。

たとえば、北朝鮮への対処などは具体的なテーマになるが、靖国に行くか行かないかはちょっと抽象的な気がする。私自身、菅さんがどれだけ靖国に思い入れがあるかは聞いたことはない。

石平　逆に、菅さんはそういう思想信条が強すぎない分だけ、したたかな人かもしれない。

髙橋　横浜の市議出身だから、そんなに思想信条が強いというより、どちらかというと、生活周りのほうに関心が強い政治家だと思う。

石平　通常だと、これだけの長期政権のあとの政権は短期だと言われるけれど、わからない。

髙橋　選挙で負けたら、先刻も言ったけれど、もともと支持基盤がないので弱い。あまり言われていないけれど、自民党のなかで派閥がない人が首相になったのは初めてのことだ。弱小派閥の三木武夫さんがいたが、いちおう派閥はあった。自分が派閥の領袖(りょうしゅう)であった。

だから、みんな菅さんが首相に登り詰めるとは思っていなかった。普通はあり得ないし、多くの政治評論家も異口同音にそう語っていた。

本人も、自分が首相になるなどとは全然思っていなかったのではないか。

話を戻すと、いま、野党のほうは、攻め手がなくて困っているのではないか。学術会議レベルでは追い詰められるはずがない。あれでもしも菅さんが国会で、「学術会議の会員は公務員だから、任命せざるを得ない。いっそのこと補助金を出しますから、非政府組織にしてください。好きに任命してください」と言ったらどうなるのか?

石平 国民の多くは、「それでいい」と絶対に賛成する。困るのは、学術会議の会員の学者たちだけだ。

髙橋 それはそうだろう。学術会議は「学問の自由の侵害」とまで言った。しかしながら、彼らが任命されないと学問の自由の侵害になるなどと、誰も思わない。

石平 多くの国民から見て、この騒ぎは要するに、任命されなかった6名の学者が逆ギレして騒ぎ出しただけのことであって、まるで子供が駄々をこねているみたいなものだ。そこは国民には通じない。

髙橋 通じない。学術会議が中国と同じ国家機関でなければいけないのは、私には理解できない。

菅内閣・人事の最大のヒットは岸信夫氏の防衛相起用

髙橋　そうそう、岸信夫防衛大臣について言及せねばならない。今回の菅内閣の人事における最大のヒットは、岸さんの防衛相への起用であった。岸さんは安倍前首相の実弟だけれど、幼いころに岸家に養子に行ったので、安倍さん自身も、高校生くらいまで知らなかったと言っていた。それで弟だからということで、安倍さんの主義として、自分の政権が続くうちは入閣させなかった。身内は入れないと。

ところが、岸さんは岩国の人で、実力もあって、アメリカ軍の海兵隊などとつながりが深い。加えて、岸さんは大変な台湾通で、先般亡くなった台湾の李登輝元総統とも、現在の蔡英文総統とも親交を深めていた。

とりわけ李登輝さんとは長い付き合いがあったことから、森喜朗元首相とともに、弔問のため、台北に行った。けれども、台湾政府からしてみれば、「安倍首相の弟が来た！」という受け止めで大騒ぎだった。

菅政権には二階さんがいるから、親中と思われる。それは間違いないのだけれど、それを岸さんが消している。岸さんの防衛相起用は、日本は台湾と非常にうまくやっていくという、中国に対するメッセージになるわけだ。これまで台湾とここまで関係が深い人の入閣はなかった。

岸さんは防衛に詳しいし、行動力も備わっている。先般オーストラリアとの間に、自衛隊がアメリカ以外で初めてオーストラリア軍艦艇や航空機を守る「武器等防護」の実施に向けた調整を始めることになった。これは東・南シナ海での台頭が目立つ中国を念頭においたもので、警戒監視活動の強化につながる。だから、あの人の防衛相起用は中国側からすると「ええっ！」といった人事ではなかったか。

それで10月にＱｕａｄ会合を東京で行ったとき、Ｑｕａｄに台湾が入るのではないかと、西側世界が色めき立った。ポンペオ国務長官が来日し、「これからはＱｕａｄを広げていく」と宣したことも大きかった。

実際にはすぐには入らないけれど、そういう含みもあって、東アジアの安全保障の枠組みへの取り組みが、Ｑｕａｄでできつつある。Ｑｕａｄに台湾が入ることがわかれば、中国が怒って、台湾攻撃に踏み切るかもしれない。Ｑｕａｄがアジア版

ＮＡＴＯになるのはすぐには考えられないが、究極的にはそうなっても不思議ではない。

どの国も韓国・文在寅政権は相手にしない

石平　Ｑｕａｄには韓国は入れないわけだ。

髙橋　入れるわけがない（笑）。約束を守らない国は、Ｑｕａｄには入れないだろう。Ｑｕａｄは安倍さん主導でつくったから、最初から韓国は念頭にない。声もかけない。韓国は、自分たちに声がかからないのはおかしいとか言っているけれど、まったくわかっていない。自衛隊機にレーダー照射するような国はご免蒙（こうむ）る。だから、韓国は米韓軍事同盟だけとなる。

石平　韓国は今後、どうなるのか？

髙橋　文在寅はやはり社会主義の人だ。チュチェ思想に染まっているのかと思うくらいに、北朝鮮が好きだ。南北統一という場合、北朝鮮との連邦国家を意味する。選挙で連邦大統領を選ぶとしても、人口が半分の北朝鮮のトップになるだろう。そして、連邦国家は北朝鮮の核をそのまま保有していることになる。ちょっとああいう人と付き合うのは日本として無理だと思う。もう完全に、北朝鮮の属国になっても構わないという感じの人だ。石平さんは、韓国をどう思う?

石平 韓国など、どうでもいい。まったく興味が持てない(笑)。ただし、朝鮮半島の国々は昔から、周辺の大国を自分たちの内紛に巻き込んで利用するのが得意だから、そこを大いに警戒しなければならない。

髙橋 韓国は必死で中国に擦り寄っているのだけれど、中国がまったく相手にしてくれない。本当に面白い国で、どの国からも相手にされていない。

北朝鮮とアメリカの間を取り持っていたら、北朝鮮に南北融和の象徴である、開城(ケソン)にある南北共同連絡事務所を爆破されてしまった。

韓国はアメリカからも相手にされない。北朝鮮からも相手にされない。中国からも相手にされないでしょう? 日本にも文句を言ってきているけれど、日本も相手にしていない。どこもが相手にしなくなってきた。

石平 いままで韓国にいちばん優しく接してきたのが日本だった。けれども、そのいちばん優しい国までも敵に回したのでは、もうどうにもならない。

米大統領にバイデンが濃厚と報じられるようになってきてから、韓国政府は慌てて日本にすり寄りだした。11月8日には、韓国情報機関のトップである朴智元（パクチウォン）氏が、12日には韓日議員連盟が訪日した。14日のASEAN+3のオンライン会議では、文大統領が「菅総理、会えてうれしいです」と挨拶（あいさつ）した。

さらに23日に、「知日派」とされている姜昌一（カンチャンイル）を駐日大使に内定させました。しかし、菅政権は一貫して、「徴用工問題」の解決策を示せと迫り、交渉の余地を与えてない。文政権はあとの祭りだ。

もう1つ、新聞などでも報じているが、菅さんは毎年恒例となっている「日中韓3ヵ国首脳会議」をどうするつもりなのか？

髙橋　韓国はいわゆる徴用工の話で日韓の根幹である日韓請求権協定を反故にした、国際法違反の国だ。さらに、もともと菅さんが官房長官のときに、ほとんど1人でまとめ上げた慰安婦基金の案件も文政権が卓袱台（ちゃぶだい）返しした。いくらなんでもそれはない。前政権が約束したことは、次の政権は嫌でも継ぐものだが、それをひっくり返したわけだから、菅さんとしては愕然（がくぜん）としたのではないか。

石平　もう相手と付き合ってもしょうがないと。あの国には一切関わらないほうが良いと思う。関わっていたら面倒なことが起きるだけだろう。まったく厄介な隣人だ。

髙橋　徴用工の話をひっくり返したということは、請求権協定をひっくり返したことになるので、日本としてそれは許せることではない。しかもその間に、韓国軍が自衛隊機にレーダー照射を行った。

石平　そういう意味では、菅さんは、筋を通す人だ。

髙橋　そう、あの人は筋しかない。筋だけでやる人だよ。よく人の話は聞くのだけれど、自分でこうと思ったら、テコでも引かない。慰安婦基金を文政権がひっくり返した時点から、私は日韓関係は、現在のようになると予測していた。

石平　2020年の日中韓3ヵ国首脳会議の開催地は韓国だが、菅さんは韓国には行かない。そうすると、次の日本開催のときに韓国は来ない。

髙橋　文政権のときにやっても意味がない。それと日中韓3ヵ国首脳会議は、懸案があるとしばしば休んでいるので、そのくらい菅さんは割り切っていると思う。一回、慰安婦基金の件を直接本人に聞いたことがあった。「あんなに一生懸命にやったのに、全部ひっくり返しやがった」とものすごかった。

石平　文在寅政権は相手にせず、か。

髙橋　無理だろう。いくらなんでも、国家間の約束を破る相手とは。また、徴用工の話もひどすぎる。いちおう日本は、請求権協定の枠内で話し合いは続けようと言ってきた。それについても、韓国側は請求権協定の枠内での話し合いをすべて拒否した。

請求権協定のなかに解釈の齟齬（そご）があったらこれでやろう、という手続き自体は用意されていた。それを全部韓国が無視して、「われわれの国の最高裁の判断はこうだ」でおしまいにした。

請求権協定の主旨に沿うならば、最高裁が判断を出したら、政府が肩代わりするのが常識。だから、日本企業に責任を持っていかずに、韓国政府が肩代わりすればよかったのだ。それが、国際法、世界の常識にもかかわらず、韓国は無視を決め込んだ。

菅さんは、こういう相手に対してはとことん厳しい。そういう人だから。

官僚が恐れるほどのビジネスライク

石平　おそらく菅さんは、相手に対しても厳しく、自分に対しても厳しい。すごく仕事熱心で、朝起きて晩までずっと働き詰めと聞いたことがある。

髙橋　すごく仕事ができる人。安倍さんと違うところは、酒を飲まないところか。

石平　菅さんはあまり飲まない人なのか？

髙橋　菅さんは一滴も飲まない。いや、体質的に飲めない。だから、安倍さんとはだいぶ違って、仕事を終えて、仲間と和気あいあいとお酒を飲むようなことはない。だから、菅さんの夕方の会合は、三段重ねになるわけだ。1個行って、他のところへ行って、もう1ヵ所他のところへも行く。飲まないから、全然平気。それで相手がベロベロに酔って喋ったことも、しっかりと覚えているから、菅さんは恐い。

石平　ずるい（笑）。

髙橋　菅さんは一切飲まないから、全部仕事の話。本人が言っていた。「趣味は仕事」だと。

石平　仕事ばかりだと、周囲が大変なのではないか。しかしながら、安倍さんが7年以上も外交的にさまざま挑めたのも、菅さんが官房長官として、きちんと台所を管理していたからだ。

髙橋　だから、安倍さんの菅さんに対する信頼は絶大なものだ。私が菅さんと一緒にいるときに、たまたま安倍さんは外遊中だった。安倍さんが帰国して、携帯のテリトリーに入ると、すぐに安倍さんから菅さんに電話が入ってきた。
外遊中に起きたことを事細かに報告していたから、首相官邸に着くころには、安倍さんはほぼインプット完了だったと思う。

石平　ところで、安倍政権には菅官房長官がいたけれど、菅政権には菅さんにあたる人は誰なのか？

髙橋　いない。全部自分でやっている。だから、超細かい話にも踏み込んでくる。それでもあの人は平気の平左だ。

石平　官僚から見た菅さんはどうなのか？

髙橋　恐いだろう。官僚が説明するために書いたペーパーを、菅さんが読むスピードはべらぼうに速い。２、３枚ならあっという間に読み終わる。そのときに菅さんの目を見ていなければ駄目だ。関心がありそうな箇所でちょっと目が止まるから、そこのところを説明しなくてはならない。

それが全然できない官僚がけっこういる。緊張して一語一句、最初から説明しようとするわけだ。私の感覚では、菅さんに対して2度それをしたら、そういう輩は、もう次から呼んでもらえない。

あるいは、「これはなんとかできないのか？」と菅さんから聞かれて、言い訳じみた物言いをすると、「あ、そうですか」で終わりになってしまう。そのあたりは本当に厳しい。

石平　それは恐い。

髙橋　それでときどき、官僚が菅さんに話を聞いてもらえなくて飛ばされた、という話が聞こえてくる。私の感覚では、その官僚が仕事ができないからだと思う。

石平　できない奴はもう相手にしない。だから、文在寅も相手にしない（笑）。

髙橋　官僚であとからぐちぐち言ってくる人は、けっこう多くて、私も何度か経験している。実は、「ふるさと納税」の制度について、私も絡んでいた。それは菅さんが総務大臣のときで、官邸にいた私も手伝うことになった。

研究会を立ち上げて、私がサポートした。総務省官僚にレポートを書かせた。その制度創設のときに何もクレームをつけなかった官僚が、制度を改正したあとになってぐちぐちと文句をつけてきた。菅さんはそういうタイプの官僚には厳しい。

石平　あとは習近平が、菅さんに相手にされるかどうか。それが次の問題だ。習近平ぐらい相手にしたほうがいい。ありがたい存在だから。

だから、次はどうするのか。二階さんは国賓として習近平を呼びたいのだろうが……。

髙橋　ただ、菅さんは基本的に、世論の動向で判断する人だ。

石平　ということは、いまは棚上げにしたままでいい。どこかの国際会議で会ったときに話をすればいいと。

髙橋　しかしながら、当分はコロナだから、リアルの国際会議はない。すべてはオンライン会議になってしまう。ただ、オンラインだったら、菅さんはすぐに終わってしまう。

要点のみをぱっと言っておしまい。すごくビジネスライクで早い。だから、電話はもう30秒か1分。一言二言あって終わり。際立って話の短い人で、じっくりと話をすることなど滅多にない。習近平さんと菅さんが会うのかどうかは、現時点ではわかりかねる。

石平　いや、菅さんのペースに習近平はついていけないのではないか。反応が鈍いから。

髙橋　ある首相経験者が教えてくれたのだが、習近平は基本的にペーパーの読み上げらしい。おそらくは臨機応変にやれないタイプなのだろう（笑）。

石平　官僚たちがしっかりと準備していないと、彼は対処ができない。だから、フロリダのトランプの別荘に招かれたとき、いきなりシリアを攻撃したとトランプに言われ、固まってしまった。

以前、外国の首脳と会談するときもそうだったけれど、香港の林鄭（りんてい）行政長官が北京の習近平に会いに行ったとき、おかしいのは国家元首のほうが部下の林鄭に対して、原稿を読んでいたことだった。

要するに、自分の部下と話をするときに、他の部下の書いた原稿で部下と話をする。そんな指導者はもう終わりではないのか。それにしても、習近平がありがたい存在であることが、髙橋先生との話でつくづく理解ができた。

第5章

内憂しかない中国経済

中国のGDPは大嘘

石平　ここでは中国の国内問題を論じてみたい。中国政府が10月中旬に、9月までのGDPを発表し、1月から9月までの経済成長率はプラス0・7％だった。中身を見ると、1月から9月までの国内消費が冷え込んでいる。小売売上高は昨年同期比で7・2％減と大幅にダウンした。

消費低迷に対して、伸びているのは輸出と固定資産投資であった。輸出は昨年同期比で1・8％増、固定資産投資は0・8％の伸びを見せた。要するに、消費不振のなか、輸出と固定資産投資の拡大で、なんとかプラス成長に持ち上げたという構造である。

しかし中国経済の問題は、固定資産投資の中身を見ると、浮き彫りになってくる。製造業の設備投資が6・5％減と、大幅に減少しているのだ。それに引き換え不動産投資が活発で、5・6％も増えた。消費低迷の状況下、不動産投資だけで景気を支えているという全体像が見て取れる。

それに中国政府が発表する公式数字は、額面どおりには受け取れない。髙橋先生は、今回発表された、この一連の数字をどう捉えるのか？

髙橋　中国は10月26日から開いた重要会議、５中総会（第19期中央委員会第5回総会）においても、閉幕後のコミュニケで経済成長率目標についての具体的な言及を避けた。

経済発展計画には「10年以内にアメリカを抜く」とあるのだが、結論から述べると中国のＧＤＰは〝嘘〟だから、まともには取り合わないほうがよろしい。

石平さんとの前回の対談本で私は、「中国は、先輩の社会主義国だった、旧ソ連と同じような統計の取り方で数字を誤魔化している」と指摘をした。ＧＤＰで嘘をつくのは、案外簡単なのである。

まず第1に、ＧＤＰ統計は広範にわたる各種の消費統計、設備投資統計、貿易統計などが出たあとに、それらすべてをもとにして計算する統計だということ。たいていの先進国ではどんなに頑張っても1ヵ月ぐらいはかかってしまう。ところが、中国ではわずか2週間で出てくる。そこがまずおかしい。

日本においては、設備投資統計を非常に綿密にとっている。実は設備投資統計の基本になる法人企業統計については、回収に非常に時間がかかることから、いちばん遅く出てくる統計である。けれども、中国はそれも含めて、2週間で数字が全部出てくる。怪しいと思って当然だ（笑）。

石平 日本のマスコミも、そこをまったく理解していない。中国がプラス成長を発表すると、世界がみなマイナス成長なのに、中国だけが経済が回復した、元気になったと、何の疑問も呈さずに大々的に報道する。

髙橋 すぐに統計が出るのは怪しい（笑）。私が見ていると、さまざまな中国の基礎統計が出る前に、それらをまとめたGDP統計が出たりするわけで、これはないだろうと、いつも思うわけである。通常は順番で、基礎統計が出てから、最後の最後にGDP統計が発表される。

石平 それが中国の場合は逆なわけだ。

髙橋 ただし、中国政府がさまざまなシナリオを書いているとしても、消費の下落は隠しようがないのと、輸出額についても比較的正しい数字と思われる。相手国の輸入額を見れば、だいたいはわかる。そうすると、辻褄（つじつま）合わせで経済成長率を伸ばすためには、投資が増えたためだと言わざるを得ない。

網羅的な失業統計を出さない国は先進国ではない

高橋　先に述べたとおり、さまざまな統計の積み上げから、ＧＤＰは計算される。計算式は、実は国際的に一定のやり方があるけれど、社会主義国においては経済統計がいい加減なので、正しい推計が出てこない。要は、社会主義国の統計はとんでもない問題を孕（はら）んでいるわけだ。

このことを教わったのは慶應義塾大学などで教鞭（きょうべん）を執り、政府税制調査会会長だった加藤寛（かとうひろし）先生だった。あまり知られていないが、彼はもともとは、ソ連経済のスペシャリストであった。

それで唯一、日本をはじめとする先進国で、ＧＤＰ統計を誤魔化せない方法として承認されているのが、ＧＤＰと失業率を常時チェックするというものだ。ＧＤＰと失業率の関係は、「オークンの法則」の名前で知られる。たとえばノーベル経済学賞を受けたポール・クルーグマンら経済学者は、国家の経済状況を見るとき、このＧＤＰと失業率の関係をつぶさにチェックする。

これはどこの国でも成り立つ関係率があることから、その国の失業率統計を出してくれると、明確にわかる。

ところが、中国には失業率統計というものが存在しない。一部にはあるものの、全体にはない。だから、網羅的な失業率統計を出さない国のGDP統計は信用できない。これは世界の常識といえる。網羅的な失業率統計がないのに、どうやってGDP統計がチェックできるのか、ということである。

石平　中国当局はいちおう失業率を発表するが、その数字になんら信ぴょう性がないのは、国民全員が知っている。なぜなら、経済が上がっても下がっても、失業率はだいたい同じ数字であるからだ。こんな感じだ。

2015年　4・05％
2016年　4・02％
2017年　3・90％
2018年　3・80％
2019年　3・80％

まったく不自然に、4％を軸に数字がつくられている。

髙橋　失業率統計を網羅的にやらないこと自体が、実はＧＤＰ統計が嘘だということを、中国は世界に向けて〝宣言〟しているようなものなのである。要するに、旧ソ連やいまの中国は、独立した第三者に調査させず、身内に数字をつくらせてきた。つまり、「自分で受けたテストを、自分で採点するようなものだ」といえば、わかってもらえるだろうか。

旧ソ連が崩壊してから、衝撃の事実が白日の下に晒（さら）された。旧ソ連のＧＤＰはそれまで発表してきた３分の１でしかなかったのだ。

中国は先輩と仰いだ旧ソ連から、ソ連式の統計システムを持ち込んだ。諸悪の根源は、社会主義体制下における「官僚主義」だった。つまり、官僚は、国が計画し目標とした統計を最優先したから、70年間にわたって数字の捏造（ねつぞう）がまかり通ってきた。

どこの国の指導者も、雇用の話をする。そこで嘘をつくと、民主主義国では完全にアウトになる。日本の雇用統計でも先般、間違いが発覚、とても深刻な問題として受け止められた。東京都のサンプリング調査をテクニカルに少し間違っただけだから、全体には影響はなかったが、それでも大問題になった。

なぜか。それは失業率統計が信頼に足るものであることが、大前提にされているからだ。これが担保されないかぎり、その国の指導者は雇用の話はできない。

李克強が推奨する「露店経済」で見えた真実

石平　しかしながら、ときには中国経済の真実が垣間見られることがある。

２０２０年５月下旬に開かれた全人代後の記者会見で、李克強首相は失業問題に対する質問を受けて、四川（しせん）省でそれまで禁止だった屋台店を復活させたところ、新たに10万人の雇用を創出したと言及した。さらに、李克強は「露店経済こそが庶民の生活の知恵であり、雇用の源泉だ」と述べて、屋台による「露店経済」を活発化するよう促した。

要は、もはや政府の繰り出す失業対策ではどうにもならないので、失業者が露店を出して食べ物屋や小売りを始めることを奨励したわけである。すると、６月１日から１週間続けて、「露店経済」という見出しが新聞各紙の第１面を飾るくらいに盛り上がり、たしかに経済は活発化の様相をみせた。

ところがその1週間後、共産党北京市委員会の機関紙・北京日報が「北京市には露店は不要である。中国の首都にはふさわしくないからだ」と報じた。これは当然ながら、党中央宣伝部の差し金であった。中央宣伝部から、「党上層部の意向により、各メディアが『露店経済』について報じることを禁止する。各メディアの露店経済に関する記事はすべて削除せよ」との通達があったからである。

それで上海（シャンハイ）、天津（てんしん）をはじめとする大都会では、路上から屋台などを撤去、各都市も追随した。中央電視台もさかんに「露店経済反対」と報道するようになり、あっと言う間に、李克強首相が提唱した露店経済は潰されてしまった。

こうした露店経済をめぐる賛成と否定の裏側には、習近平と李克強の権力闘争が深く絡んでいた。

だが、10月中旬に新たな動きがあった。10月16日、北京市都市管理委員会・商務局が通知書を出し、「規定を満たした企業が、公用空間を占用して、衣服や雑貨の販売、飲食関係の露店行為を行うこと」を容認した。

6月には北京市が率先して露店経済を潰しにかかったけれど、いまになっては逆に、容認する以外にないと判断した。いま、北京は失業者で溢れ返っている。

コロナが流行していた旧正月、北京の出稼ぎ労働者、農民工は故郷に帰っていった。コロナが終わって北京に戻ってきても仕事にありつけず、彼らは再び故郷に戻るしかなかったのだ。

ということは、都市部で露店を出すのは、農民工ではない都市部の住民である。それも露店を出す以外、食べていく道がないからだ。

さらに深刻なのは、大学生の就職難である。２０２０年の大学新卒者数は８７４万人で、就職から弾かれてしまう大学生は2～3割と予測される。しかしながら、今年は留学帰国組が80万人もいて、彼らとも就職先を争わなければならない。

中泰証券研究所が発表した衝撃の失業率20・5％

髙橋　中国の失業率について、２０２０年4月末、世の中を揺るがす経済レポートが発表された。発表したのは、中泰証券研究所であった。同研究所は中泰証券のシンクタンクで、著名な証券アナリストとして知られる李訊雷氏が所長を務めていた。この中泰証券研究所の李所長が、すでに中国国内の失業者は７０００万人を超え、実際の失業率は20・５％にのぼると警鐘を鳴らした。

おそらくレポートに書かれた数字は正しかった。それで中国当局の逆鱗(げきりん)を買って、即刻クビになってしまった。

李所長が普通に試算を重ねていき、推計した結果、失業者７０００万人、失業率20・５％という数字が弾き出されたのだろう。だが、中国のエコノミストは現実を把握していても、「失業率は５％程度」と平気で嘘をつく。現実を発表すれば、自分のクビが飛んでしまうからだ。中国の統計自体が先刻もふれたとおり、ごく一部の都市部の推計のみで、都合よくこしらえている。私は、李所長が失職覚悟のうえで、この現実の数字を中国社会に知らしめたと捉えている。

それにしても、失業率20％超は恐ろしい数字といえる。露店経済の推奨などでは、とても太刀打ちできない猛烈なレベルだ。それはおそらく、いまも続いている。失業はそう簡単に回復できないものだからだ。

だからこそ、きちんとした網羅的な失業統計を出しておかねばならない。正確な統計データを持っていなければ、国の進路を誤らない政策を〝打ち出せない〟からである。

先刻石平さんは設備投資の6・5%減を懸念していたが、実は失業とは、人への投資であって、物への投資が設備投資に出てくるわけである。だから人への投資と物への投資は、両方一緒に出る。なぜなら、人にだけ投資して、物に投資しないというわけにはいかないからだ。

物だけに投資して、人に投資しないのは、ロボットへの投資に関してはときどきあるけれど、一般的にはオペレートする人も必要だから、物への投資と人への投資は、通常は一緒に動く。したがって、失業率がこのように上昇しているときに、投資が下がるのは、至極当たり前なことなのである。

そうすると、先刻石平さんが挙げた1月から9月までの経済成長率0・7%をはじめとする数字は、現実よりもちょっと甘い数字が出ているのかなと思わざるを得ない。

実際の失業率が20%であれば、投資は猛烈に減って当然で、さらに下がるはずだ。当たり前な話で、人だけ切って物だけ残しておくことは、普通はしない。一緒に処理していくからだ。だから、これら政府がつくった数字は、やはり現実を隠し切れなくて、どこかで尻尾（しっぽ）が出てしまうものなのだと思う。

中国では本当のことを言うと死刑になる

石平　たとえば、企業が今年は設備投資しないということは、来年になるとさらに雇用が落ちることを意味するのか？

髙橋　おそらく、両方一緒になって起こる。だから、なかなかこれからの中国経済は大変だなと思う。それにしても、中泰証券研究所の李訊雷所長は、即刻レポートを撤回させられて、クビになって、本当に気の毒である。中国では、まともなことを主張すると、こうなってしまう（笑）。

石平　同時に、消費に関しても中国政府の発表でさえ、1月から9月までで7・2％減と散々だ。中国政府はコロナが収まってから、消費拡大をあの手この手を使って奨励してきたものの、一向に盛り上がらない。そして、中国でいちばん伸びたのは不動産投資であった。これは額面どおりに受け取っていいのだろうか？

髙橋　ちょっとあり得ない。不動産投資とは、一般的には物的資産の拡大のために投資をするのだが、中国の場合、数字を無理矢理につくっている感じが否めない。

不動産投資については、奥まで掘り下げて調べてみないと、それが本物か架空のものかは、なかなかわからない。もともと中国は土地の取引は、基本的には認められていない。所有権について権利の売買という意味では、けっこう、怪しげな話が多いように思う。

石平 たとえば2019年でさえ不動産をつくりすぎで、びっくりするような数字が出た。公式に確認された統計数字で、2019年度の全国の不動産投資総額は13・2兆元だった。

中国の19年のGDPは約100兆元だったから、不動産投資がGDPの13%以上を占めたことになる。13・2兆元は日本円では206兆円だ。日本のGDPの約4割だ。そんなことはあり得るのか？（笑）。

高橋 先にも述べたけれど、そもそも中国経済をテーマに議論するとき、統計数字に誤魔化しがあるのがわかっているので、なかなかまともな議論にならない。

たとえば、中国の不良債権処理に対する手法は、完全に日本を真似ている。通常は、金利が入ってこなくなれば不良債権認定をする。けれども、追い貸しすると、金利が入ってくる形になるから、不良債権がないことになる。そういう話を国際会議でしていたら、中国の代表は、きちんとした統計を持っていないのが明白なので、何も言い訳ができなかった。それで彼は最後にこう説明した。「中国では、嘘の統計をつくると死刑になります（笑）。だから、みんな嘘をつかない」

石平　その説明自体が無残そのものだ（笑）。真逆ではないのか。中国では、本当のことを言ったら死刑になる。

髙橋　だから、議論にならなかった。ＯＥＣＤ主催の中国での国際会議だったけれど、とてもではないが、まともな議論ができなかった。正直な話である。

「暴落」という概念がない中国の恐ろしさ

石平　ただ、民間で確認されたデータもちょくちょく出ている。２０２０年9月、10月あたりから、北京・天津・済南（さいなん）・南京（ナンキン）などの大都会で、不動産価格が暴落し始めていることがわかっている。たとえば、天津は最大40％程度も落ちたし、北京と天津の間の郊外では50％も下落した。

もう1つ、中国には中古（新古）不動産が大量にあり、総数５０００万軒以上にものぼる。個人投資家たちが1人で何十件も購入し、値上げを待っているわけだが、そうした中古（あるいは新古）物件もいまや全然売れなくなっており、数十%の値下げをしないかぎり、買い手がつかないのが実相だ。

その一方で、経済成長率を支えるために、不動産を無闇に開発するという矛盾が起きている。おそらくは日本のバブル期よりも、はるかにひどい状況に陥っていると思われる。

髙橋　私の認識では、日本や他の先進国の不動産については、正式な物件価格が出て、売買の対象となる。

ところが中国の場合は、出てくる価格は統計全体から割り出した数字ではなく、ごく個別の数字しかないから、その話ですら信用できない。

中国の不動産市場と似ているのは証券市場で、暴落したらすぐにサーキットブレーカー制度が働いて、売買を止める。したがって、同制度ができてからは、暴落は見られなくなった。

不動産市場もしかり。その取引価格はなかったことになるというか、一部の人のみが損をするだけで、実際の取引については全然違う価格で行われている。専門家からの側聞だけれど、それは十分に考えられる。したがって、不動産についても、日本のバブル崩壊のときのピーク時の10分の１になるような暴落は、現時点では見られない。

　他の国では不動産も株式もきちんと取引するから、時折とんでもない暴落があるのだが、中国では、基本的に暴落はないのではないか。

石平　いや、胡錦濤（こきんとう）政権時代と習近平政権時代の２回、不動産価格の暴落があった。ただし、最終的手段は売買の〝凍結〟というものだった。

髙橋　そう。だから、価格には反映しない。われわれがいくら不動産価格の暴落についての議論をしても、中国政府は「不動産価格などいつでも凍結します」と取引がなかったことにして終了させる。

石平　なるほど。しかし問題は、凍結することは、政府はできる。ところが、凍結すると同時に、不動産市場も売買が終わってしまう。

髙橋　そう。そのときに不動産市場は機能しなくなり、当然、莫大なる国富が失われるはずなのだが、その統計は出さない。だから、不動産市場が崩落して、ものすごく失業者が増えたとか、そういう話も出てこない。

石平　暴落を防ぐために売買を凍結すると、不動産市場の売買も止まる。止まると、つくってても売れないから、誰もつくらなくなる、2019年の投資総額は、GDPの13%を占めていた。暴論だけれども、2019年年初に不動産価格が暴落して、不動産取引が凍結され、誰もつくらなくなると、理論的には中国はGDPの1割以上を失ったかもしれない。しかしながら、それについても、中国はGDP統計を誤魔化すから、よくわからない。

髙橋　仮にそれが具体的に出てくると、GDP統計の減少は通常、失業率の増加に表れてくる。中国はそれを外に出さないから、やはりわからない。

だから中国の場合、普通の資本主義国の前提で、暴落するはずだという議論はできない。中国については、暴落という〝概念〟は存在しないのだろう。実際には雇用や失業率に異変が表れるはずだが、それを隠すから、実はわからないまま終わる。私はそういう解釈を、いつもしている。

崩壊目前か、30年生き延びるか

石平　そういう構造でいちばん危険なのは、中国政府がすべての数字を誤魔化しても、最後には結局、失業者の洪水となり、消費もどん底となり、最悪の事態を招くことではないか。

髙橋　そうだ。普通の国であれば、失業者が溢れれば、政権は倒れる。ところが、中国にはそのメカニズムが備わっていない。「中国人民の泣き寝入り」という形で、中国は終わってしまうのだと思う。

石平　最後は、この政権がどこまで失業による、社会的不安の拡大を押さえつけられるかだ。

髙橋　おそらく、これまで押さえつけているから、実際の失業率が20％になっていても、普通の国だったら絶対に潰れるところを、中国は潰れない。それは中国の共産主義のいちばん強いところかもしれない。しかし、これをずっと続けていくと、旧ソ連みたいに、どこかでプチンと終了してしまう。

それが建国１００年くらいで、プチンとなるのかどうかはわからない。従来から言われている、中国は不動産バブルが弾けて国家破綻を招くはずだというのは、西側諸国の推測にすぎない。希望的観測もあるかもしれない。

私は、中国はたぶんそういうことにはならず、ずっと何もなかったかのように時を刻み、最後のところでソ連のようにドーンと潰れて、終焉を迎えるのだろうと見ている。

石平　中国共産党のやり方は、問題を解決せずに覆い隠して、暴発しないように押さえつける。たとえば、高圧鍋みたいに、とにかく圧力をかけて問題を出ないように力任せに押さえつける。しかし、やればやるほど問題は蓄積され続ける。そして最後には、こらえ切れずに爆発が起きる。

高橋　石平さんは、ずっと中国は潰れると言い続けている。長期的には正しいけれど、今後5年か10年では、そうはならない。

実はこれは、１００年スパンの話なのだと思うのである。１００年スパンで見て、おそらく１００年のプラスマイナス50年のどこかで、中国は潰れる。

だから、「5年くらいで、中国は崩壊する」と言及すると、「あなたの予測は違っていた」と決めつけられてしまうから、私は超長期スパンで中国を見ることにしている。

中国が潰れにくいのは、地理的に外に接している部分が少ないこともあるだろう。ドイツみたいなところは、陸続きだからそもそも危なかったし、旧ソ連にしてもヨーロッパと広く接していた。中国にはそれがないから、その分だけ耐えられてしまう可能性がある。しかしながら、１００年スパンで見れば、どこかで終了する。

石平　中国の場合は、耐えていく能力が半端ではない。歴代王朝がそうで、１つの王朝ができたら、１００年、２００年と続く。王朝の末期をみると、明(みん)朝にしても滅亡の50年前から潰れそうになるけれど、それから50年間も持ちこたえた。けれども、いったん潰れたら、大変な混乱が待ち受けていた。

髙橋　だから、中国にはこれまでの蓄積があるから、なかなか我慢が効くのではないか。その強味を取り払って、５年から10年のスパンで中国の将来を予測してしまうと、けっこう外れてしまう。

米大統領選と中国延命の関係

髙橋　中国問題を語るときには、そこを注意すべきだとは思うけれど、中国がそんなに長く国家を持ちこたえさせられるか、本当に至難の業だと思う（笑）。

繰り返すけれど、失業率20％では国が持つわけがない。普通の国は、政権交代でいったんガス抜きをするわけだが、あそこはガスが抜けない仕組みになっている。

石平　ガス抜きはさせない。結局、政権の力に頼るしかない。政権の力とは警察、武装警察、あるいは政治権力ということになる。要するに、国家の経済力が落ちれば落ちるほど失業者が溢れるから、力で人民の不満を押さえつけなければならず、警察力と軍事力を増大しなければならない。

髙橋　最後は軍事力のところで、国内で矛盾が出てくるのが通常パターンである。結果的にソ連が潰れたのは、レーガン大統領がスターウォーズ計画をぶち上げたことで、軍拡競争に巻き込まれ、最終的にソ連が対応できなくなり、ガタガタになった。そんなときにベルリンの壁が崩壊したわけで、あれはレーガンの働きかけがものすごく大きかった。

今回、トランプが再選されなかったことで、私は、中国は早い時期には潰れにくくなったと思っている。トランプはレーガン同様、中国に激しく働きかけ、注文をつけてきたが、そのトランプがいなくなれば、また中国も持ちこたえてしまうかもしれない。

ただし、あと50年持ちこたえられるかといえば、それはわからない。

石平　いまのような権力構造のまま、もう50年も持ちこたえられることは想像できない。いずれはXデーが来ると、みんなそう思っている。

たとえば、中国共産党中央党校、共産党高級幹部を養成するための学校の蔡霞（さいか）・元教授が、先般、アメリカに亡命した。彼女はいわゆる「紅二代」であり、母方の祖父は党の元長老で、母親や親族らは軍で高官を務めた人物だ。

亡命する前に、中国国内で蔡元教授が同志たちとの集まりで発言した内容が、ネット上に流出した。蔡元教授はそこで中国共産党を「政治ゾンビ」と、習近平を「マフィアのボス」などと糾弾した。そして最後に、「私は１人ではない。党内に私と同じ考えを持つエリート党員や幹部が60～70％もいる。このまま共産党が何も変えなければ、5年以内に天下大乱が起こる」と締めた。

中国共産党の一党独裁体制内にいる人たちが、いま何を考えているのかを示そう。

中国を巨大客船に喩えれば、1等から5等のクラスの乗客が乗船している。1等の乗客は、すでにおのれの財産をこの船から移し終えており、いつでも脱出できる。2等の乗客はまだ迷っている。3等の乗客は、将来はどうなるかわからないけれど、とにかく、いまの生活を楽しもうと思っている。4等の乗客は、船が沈むとわかっていても、どうにもならない。それでいちばん下の5等の乗客は、船が沈むことすら知らずに、共産党は偉大だと信じ込んでいる。

そして一方では、共産党は政権の正当性、レジテマシーの維持に腐心している。この正当性を維持するために、共産党政権はときにはきわどいこともやってしまう。

たとえば、経済問題が深刻化しバブルが崩壊するとき、失業が拡大、人民の不満がピークに達するとき、限定的だけれども戦争を起こせば、政権が抱えるさまざまな問題が一気に解決されるわけだ。戦争をすれば、政治統制を敷いて、不動産価格を統制することができるし、雇用不足をも解決できる。
もう１つ、中国は構造的な貧困問題を抱えて久しい。２０２０年の全人代後の記者会見で李克強首相が訴えた。「６億人の中国国民は１０００元（約１万５０００円）の月収で生活しているのだ」と。その一方で中国には、日本の金持ちと桁違いの大富豪が多くいる。
そうした問題の解決の究極の方法は、戦争に持ち込むことではないか。私はそう捉えている。

髙橋　前回の石平さんとの対談のとき、中国が平均所得で１人当たり１万ドルを超える国になるのは、政治体制的に難しいと、論じた。

石平　そうするしかない。しかも、すでにアメリカからさまざまな必要物を盗むのは、ますます困難になった。アメリカの中国に対する制裁は厳しくなる一方で、あの孔子学園も完全に閉鎖となった。これからいちばんのカモになるのは、技術を盗みやすい日本ではないか。日本では孔子学園もまだ健在である（笑）。

中国が嘘をついているから、伸びしろが残っているという皮肉

石平　2020年2月28日、中国の国家統計局は次のとおり、発表した。「2019年国民経済社会発展統計公報によると、速報値で2019年の中国のGDPは前年比6・1％増。年平均為替レートで換算すると、14兆4000億ドル（約16兆円）で世界第2位の規模をキープした。そして中国の1人当たりのGDPは7万892元、ドル換算で1万ドル（約111万円）、1万ドルの大台を初めて突破した」

まず、これ自体が嘘なのだから、どうすればいいのか？

髙橋　旧ソ連がGDPについて70年間も嘘をつき続けて、最終的には発表の3分の1だったことを勘案すると、中国はそこまで嘘をついていないであろう。李克強の告白などを織り込むと、私の感覚では半分程度。だから、1万ドルに到達する半分の5000ドル程度ではないか、と踏んでいる。

そうすると1万ドルまでに、まだ時間はあるから、中国の破綻というか体制崩壊は、まだずっと先になるわけだ。半分だとすると、あとどれくらい成長すると2倍

になるかが計算できる。まともな成長率でいくと、おそらく30年程度は大丈夫かもしれない。案外、破綻は来ないかもしれない、というのが正直な私の予測である。

仮に、いまの中国の1人当たりのGDPが本当に1万ドルだったら、かなり近いうちに破綻するけれど、実際にはまだほど遠いから、そうはいかない。

石平　要するに、まだ伸びる余地があると。

髙橋　そう。まだ伸びる余地があるから、当分は誤魔化していても、国家が潰れるようなことにならなくはできるわけだ。そうすると、私たちの目が黒いうちには見られないかなと。

石平　見られないのか（笑）。残念だ（笑）。

髙橋　残念だが、たぶん見られない。それは〝皮肉〟にも、中国が数字をいままで誤魔化してきたし、嘘をついてきたから、まだ伸びる余地があるからだ。

李克強首相が示したとおり、貧困層が6億人もいるうちは平均値もまだまだ低いし、実は成長する余地があるから、案外、中国共産党は持ちこたえてしまう。というのが、私の予測である。

石平　中国共産党統治からすると、失業問題は別にして、貧乏人が大勢いるほうが彼らの政権基盤にもなる。

髙橋　そうそう。貧困層が農村部にいるうちは、共産党はたぶん安泰だろう。一方、都市部の人たちは共産党に我慢できなくなるから、海外に出る人たちも多くなるかなと。しかし、それは数字としては小さいから、共産党を揺るがすことには、なかなかならないかと。

私は中国をきわめて冷ややかに見ている。案外破綻が来ない。皮肉っぽく言うと、嘘をついているから、まだ伸びしろが残っているわけである。

第6章

日本は台湾を犠牲にするな

習近平時代を迎え、国際的な評価を一気に低下させた中国

石平　口惜しいけれど、中国の過去の最高指導部はなかなか賢明だったと思う。たとえば、鄧小平(とうしょうへい)のような考え方や政策は秀逸であった。対外的には韜光養晦(とうこうようかい)、国内的には緩やかに、ある程度の自由とガス抜きを容認してきた。

国内でガス抜きを用意して、対外的にはむやみに敵をつくらない。胡錦濤政権時代までは、それらを根気よく踏襲してきた。

そして2012年末からは、習近平時代を迎えた。最近、習近平は海外の中国人、華僑からあだ名をつけられた。日本語で「かそくし」という。中国語の発音では「ジャスウス」、漢字にすると「加速師」である。

かつての鄧小平は、「改革開放の設計師」と言われていた。それで習近平に対する「加速師」とはどういう意味なのか。決して良い意味ではない。彼が中国の政治体制の崩壊を加速化させる。そういう意味が込められている。

近年、習近平が加速しているのは、対外的には無闇に敵をつくり、対内的にはす

べての不平不満を力で押さえつけることだ。

胡錦濤時代までは、不平不満に対してガス抜きをそのつど用意していたが、習近平政権の最大の特徴は、とにかく封じ込めにかかることである。それで反対意見が出なければ、天下泰平というわけである。しかしながら、そういうやり方は、中国共産党政権の国内矛盾をはっきりと浮き彫りにして、力で押さえつけた反動をさらに増幅させる。

だから、先刻、髙橋先生の見解では、たしかに共産党政権自体はある程度の強靭性を備えており、また中国が嘘をつき続けてきたことで経済的に伸びる余地があるから、場合によってはわれわれが死ぬまで、崩壊の姿を見られないかもしれないというものだった。しかし、それでも、私は大いに、習近平様の〝失政〟に期待している（笑）。

２００８年の北京五輪のときは、中国の未来の見通しは明るかった。あの当時、中国は国際社会からそれほど叩かれていなかった。

あれから12年が経って、習近平政権になって8年目、国際社会の中国に対する評価は一変した。習近平は憲法まで変えて、終身独裁を続ける気なので、髙橋先生の見通しのように、本来ならば潰れなくてもいい体制を、習近平という「加速師」のおかげで潰してくれる可能性がないわけでもない。

先にも言及したとおり、私がもっとも危惧するのは、習近平が内政や政権正当性で切羽詰まった際、本気で戦争を起こす気になるかもしれないことである。

髙橋 それは多分にあるだろう。もちろん、標的の1つは台湾だし、それと同じように尖閣も可能性がある。台湾は中国の領土だと主張し続けてきたのを、14億人民に理解させるために、戦端を開く可能性は否定できない。

台湾を承認する肚のアメリカ

石平 実際に2020年9月から、台湾海峡で中台の緊張がかなり高まっている。9月18日、アメリカのクラーク国務次官が台湾を訪問し、蔡英文総統とクラーク次官が会談を持った。その後の夕食会の際、蔡総統が非常に〝意味深長〟な発言をした。「台湾には重要な一歩を踏み出す用意がある」。当然ながら、さまざまな憶測を呼んだ。重要な一歩とは、台湾がアメリカと国交を回復することではないのか、と。

中国側はそれに激しく反応した。その当日には、中国軍機が初めて台湾の防空識別圏に、しかも台湾海峡の「中間線」を越え、台湾側に侵入してきた。加えて24日あたりから、中国海事局が南シナ海、東シナ海、黄海、渤海(ぼっかい)の４つの沿岸において、これまた初めて、同時に軍事演習を行った。

そして９月29日、中国の中央電視台が軍事演習の一部を公開した。そのなかの１つが市街戦で、〝露骨〟な仕組みが施されていた。明らかに台湾の街を模倣した市街の模型をこしらえてあったのだ。あれを見たら、中華系の人なら、すぐに台湾だとわかる。

というのは、店の看板が中国の通常の「簡体字」でなく、台湾や香港で使っている「繁体字(はんたいじ)」であったからである。要は、人民解放軍が台湾に上陸し、市街戦を展開するぞという脅しなのだ。

こうした中国からの圧力を受けて、台湾は10月10日の建国記念日を迎えた。蔡総統の演説のトーンは明らかに下がっていた。これは、中国に軍事攻撃の口実を与えないためと思われた。

その翌日、中央電視台が「国家安全当局が台湾側のスパイ数百名を摘発した」と報道。さらに10月13日に、習近平は広東省汕頭市の海兵隊を視察、「戦争の準備を整えよう」と発破をかけた。

そして10月19日の香港紙サウスチャイナ・モーニング・ポストは、「中国軍は戦略兵器東風17、超音速弾道ミサイルを沿岸地域に配備」と伝えた。

こうした一連の動きのなか、中国共産党政権は、10月19日と23日の2度にわたり、中央指導部全員出席のイベント「朝鮮戦争参戦70周年」を開催した。19日は、習近平が中央指導部全員を引き連れて、軍事博物館の「朝鮮出兵展示会」に行き、そこで演説した。23日には、人民大会堂で行われた記念式典で再度演説した。

習近平はさかんに強調していた。「アメリカ軍は恐くない。70年前には彼我の軍事力の差は歴然としていた。それでもわが軍は立派に戦ったのだから、恐れるな」

私からすれば、これは台湾有事、中国の台湾進攻を想定した一種の「檄(げき)」である。同時に、朝鮮出兵の精神を用いて、アメリカと戦う勇気を持つようにという国民に対する一種の戦争動員にもなる。

以上、解説してきた、中国の9月から10月にかけての動きは、習近平政権が中国を戦争モードに誘導している。第1章で中国人民解放軍の制服組のトップが「戦争準備」の動きを強めていることを述べたが、さらに11月15日に、中国が東アジア地域包括的経済連携（ＲＣＥＰ）に署名・参加したことも軍事的な動向に関連して重要だ。これは少々うがった見方かもしれないが、台湾進攻に備えた布石ではないかとみている。というのも私は中国が台湾進攻に踏み切った場合、西側陣営から経済制裁を受ける可能性がある。その対抗策として経済制裁の効果を低減させるためにこの貿易協定に加入したのではないか。

18日には、中国系香港紙・大公報など香港メディアは、中国当局が「頑迷な台湾独立分子」のブラックリストを作成し公表すると報じた。

同日、中国国務院台湾事務弁公室は「台湾独立分子に対し、法に基づく打撃を与える」との談話を発表した。

また大公報は「反国家分裂法に基づいて、独立分子を生涯にわたり責任追及する」と報じた。中国メディアでも大公報を引用する形で報じられたのだが、その際、誰がブラックリストに入るか名指しはしなかったものの、蔡英文総統とその閣僚たちの写真を掲載した。つまり、暗に彼らがブラックリストに入っていることを示したわけだが、さらに言えば、リスト入りした蔡総統とはもう話し合いをしないということだろう。ここからも武力行使を前提にしていることがわかる。

しかも翌19日、人民日報海外版が台湾・蘇貞昌（そていしょう）行政委員長を名指しで「罪悪満杯、歴史的裁判から逃れられない」と痛罵（つうば）・恫喝（どうかつ）した。要するにいまの中国は台湾の総統も行政委員長も敵だとみなしているのだ。中国が台湾に武力行使するのではないか。私はかなり危惧している。

もしそうなったら、アメリカはどう出るか。台湾を守れるかどうか。しかも日本にとっても他人事ではない。

台湾は11月24日に、台湾南部・高雄（たかお）市で自主建造潜水艦の起工式を行い、蔡総統は「起工により台湾の主権を守る強い意志を世界に示す」と建造開始の意義を強調し、国家意思を明確にした。むろん、中国は猛反発している。

髙橋　このところ中台関係が非常に危うくて、緊張が高まっているのは、アメリカ側の動きにあると、私は考えている。おそらく、現在のアメリカの中国共産党に対する見方は、かつてのソ連の共産党よりも厳しい。

中国を非難するときのパターンもはっきりと変わった。要するに、中国人民については悪く言わず、悪辣（あくらつ）なのは中国共産党であると、明確に言うようになった。これをもってしても、かつてのソ連共産党に対するより、中国をよりシビアに捉えているのがわかる。

そしてアメリカ側は、中国に対する政策について示すときに、英語で必ず、「One China Policy」と表現し、決して「One China principle」としないのも興味深い。知ってのとおり、principleとは、絶対に曲げられないものである。

つまり、対中政策は変わり得る、という含みを持たせているわけだ。私などは、いまアメリカは、台湾を国家として承認することも可能だと肚を決めたのではないか、そう推測している。

なぜなら、そこまで肚を括らないと、なかなか高官の派遣に踏み切れないと思うからである。アメリカはすでに8月にアザー厚生長官を派遣し、9月の李登輝・元総統の告別式に現役のクラック国務次官を派遣したり、すでに覚悟を表明している。

日本はそこまで肚が決まらないから、現役高官の派遣はできないけれど、アメリカのほうは着々とやっていて、ひょっとしたら「One China Policy」の範囲で、台湾を承認することはあり得るのではないか。その理由は、やはり、いまの中国共産党があまりにもひどいということだと思う。

石平　ただ、アメリカにも1つのジレンマがある。もし最後の一歩を踏み出し、台湾とアメリカが国交を結んだとき、中国がどういう行動に出るかだ。場合によっては、中国に最後の決心を促してしまう恐れがある。

髙橋　そこは、アメリカが台湾承認までいったら、中国は面子丸潰れになるから、その前に「内戦」という口実で、台湾に攻める確率は高いのではないか。

対中国最前線、台湾のジレンマ

石平　台湾の蔡英文総統が重要なる一歩を踏み出すことで、中国の軍事侵攻を誘発する可能性がある。

しかし問題は、踏み出さなければ、台湾の国際的地位がいつまでも定まらない。逆転の発想で言うと、台湾とアメリカが電撃的に国交を結んで軍事同盟にでもなれば、中国に軍事侵攻を思いとどまらせる一歩になる。そこが難しいところである。

髙橋　この手の話は、だいたい先に仕掛けるのは嫌だから、偶発的な戦争か、仕組まれた戦争の、どちらかしかない。今回は、仕組んでまで、戦火を交える可能性もあるのだろう。

だんだん台湾が前のめりになっていくと、何らかの口実で、中国と台湾の間で武力衝突が起きることも考えられる。偶発的に起きることもあるわけだし……。

けれども、これまでの戦争を見ていると、だいたいどちらかが仕組んで、「うちはやっていない」とシラを切る。そんなものだ。だから、「お互いにこういう状況になれば、戦争は起きないのではないか」と推測するのは危ない。

習近平からしてみれば、香港をきちん中国に回帰させて、台湾も中国に回帰させるのは、当たり前のことだと思っているに違いない。

石平　いや、香港返還はハッキリと言って、歴史的には習近平の功績にはならない。鄧小平がイギリスに圧力をかけて返還させたのだから、鄧小平の功績になるわけだ。したがって、習近平は結局、鄧小平も毛沢東もできなかった台湾奪回をどうしても成し遂げたい。

髙橋　実現できれば、習近平は間違いなく英雄になってしまう。国際社会から非難を受けたら、習近平は「国内問題だ」と言い切るだろう。台湾を承認していない国が多いから、実は国際社会からも非難が出にくい。

石平　台湾のジレンマは、アメリカも日本も実際には、正式に台湾を国家として認めていないことだ。

髙橋　認めていないから、手出ししにくい。だから冷静に考えれば、中国としてはアメリカが台湾を承認する前に、内乱という国内問題だとして、内戦という形で奪還するほうが得策だと思う。

自国以外の紛争には必ず介入してくるアメリカ

石平　髙橋先生から見てみれば、本気で台湾と中国が軍事衝突すれば、アメリカは動くと思うのか。

髙橋　そこはわからない。たとえば大統領選挙の直前のトランプだったら、奇貨として動いただろう。自分にプラスになるわけだから（笑）。

歴代のアメリカ大統領は、自国さえ戦火に晒されなければ、自分のアピールになることから、けっこう戦争に絡みたがる。ルーズベルトにしても、日本が真珠湾攻撃に出るのを、事前に承知していても、あえて日本にやらせた。あれがアメリカ本土だったらわからないけれど、真珠湾だからやらせた。あえてやらせて、日本に勝利すれば英雄になれるからで、そういうのを大統領は好む傾向が強い。真珠湾ですらそうなのだから、ましてや中台だったら、アメリカは黙認するのではないか。知っていてもわざと警告せず、ドンパチがあったあとに、参戦するわけである。

国際社会は冷酷だから、中台の不穏な動きを知っていて、何か一朝起きたときは放っておくのだ。可能性の問題として、という意味では……。

石平　ということは、アメリカは台湾有事の際に出動するかどうかについては、言及を避けているわけだ。

髙橋　言及は避ける。けれども、米台間には国家承認はないが、安全保障的な条約は存在する。

石平　アメリカは台湾関係法という国内法により、台湾の国防を手助けする義務をいちおう負っている。

髙橋　アメリカはいつも表向きと裏は違うから、もし偶発的な狼煙（のろし）が上がって中台で小競り合いになれば、アメリカはすぐに介入すると思う。

石平 そこが中国共産党政権には読み切れず、抑止力になっている。要するに、アメリカがどう出るのかがわからないから、中国も簡単に台湾に手を出せないのである。

髙橋 台湾にあるアメリカの代表機関で、事実上の大使館と言われるアメリカ在台湾協会（ＡＩＴ）事務所が、要塞（ようさい）のような新庁舎をつくったのを見ると、やはりアメリカはすぐに出てくる構えを見せている。もっとも実際に出てくるかどうかはわからないと思う。習近平はそういうのを読めない人かもしれないが、自国さえ巻き込まれなければ、アメリカは出てこないとも言い切れない。

石平 ポンペオ国務長官が10月6日に来日し、Ｑｕａｄ（日米豪印首脳・外相会合）の会合に参加した。そのとき日本経済新聞のインタビューを受けたポンペオは、記者から「中国が台湾を攻撃した場合、アメリカはどうするか？」とズバリ聞かれた。ポンペオは明言を避けた。

しかしながら、ある意味で中国を誘っているような、強くない言い方であった。「アメリカの役割は、緊張を緩和させることだ。われわれは戦争ではなく、平和を求める」

これは中国に対して、アメリカは弱腰で中台の諍いには出て行かない、といった間違ったシグナルを送ることになったかもしれない。これを習近平が根拠にして攻撃に踏み切った場合は、アメリカの誘いに乗せられたことになる。

そうは言っても、台湾にとればひどい話だ。

髙橋　ひどい話だけれど、アメリカにはひどい話はけっこうあって、自分の国に関係なければ、平気の平左なところがある。ちょっとくらいの紛争は、自分たちが介入する〝口実〟になればいいと思っている。アメリカはもともとそういう国だ。

冷酷な国際社会とアメリカの本音

石平　ということは、台湾のかじ取りは難しい。占領されなくても、戦争が起きたことで、台湾は経済的にも大変なことになる。

髙橋　そうした意味においては、台湾領で、中国の目と鼻の先にある金門島(きんもんとう)は、きわめて危ないのではないか。金門島の占領。それくらいだったら、あり得るのではないか。以前にイギリスとアルゼンチンが戦ったフォークランド紛争（1982）、あの程度の戦いが繰り広げられるかもしれない。

石平　中国にとり、金門島を奪うのは朝飯前だろう。

髙橋　だから、それくらいはあり得る。

石平　台湾本島の占領というより、象徴的な〝勝利〟のほうを、中国が選ぶということか。

髙橋　台湾の本島はさすがにないと思いたいけれど、金門島攻撃程度はあるのではないか。比較的簡単に落とせるだろうし。

石平　金門島を狙い撃ちにされたとき、台湾にはそれを阻止する手立てはあるのか？

髙橋　日本の尖閣諸島と同じで、台湾の人たちが必死になって、「来るな、来るな！」と叫ぶのだろう。日本の尖閣にせよ、アメリカにすれば、あの周辺で紛争が起きても構わない、そんなレベルで捉えている。日本人には絶対に認められないことだが、それくらいは構わないと考えている。それが現実だ。

尖閣の傍らにアメリカ軍の演習場がある。おそらくアメリカ的に言えば、演習場の傍らで何か起きたって、演習みたいなものだと片付ける、そのくらいのレベルで考えている。アメリカは酷い国で、思った以上に冷酷な国だと、われわれは認識すべきだと思う。

国際政治のなかでは、台湾は無傷で済ませるのではなく、ちょっとくらい自分で戦ってみろよ、というレベルにある。これも世界の現実である。

石平　最近アメリカは、中国の台湾への攻撃を想定して、攻撃性の高い武器を台湾に売却している。それらについて、米ペンタゴンは「台湾は海域への侵入や沿岸封鎖などに対処できる」とし、台湾国防部も、「台湾海峡の安定に役立つ」とコメントしている。

高橋　今回のディールは約24億ドルだったと聞く。武器の売却は儲かるし、アメリカとしては正直、台湾海峡や南シナ海あたりで紛争があれば、願ったり叶ったりのはずだ。

台湾にすればひどい話だが、アメリカの武器産業から見れば、中東の需要が細ってきているから、代替需要の紛争地が欲しいという感覚ではないか。

アメリカはいい国ではなく酷い国だからこそ、絶対に敵に回してはならない。これが私の持論だ。いまの中国を見ればわかるように、大変な目に遭わされるだけだ。

石平　そういう意味では、習近平は歴史的な〝過ち〟を犯した。中国共産党の頭のしっかりしている人たちは認識しているだろうが、習近平を引き摺り下ろさないかぎり、対米関係を正常に戻すことは絶対に無理である。

けれども、現実には、もはや習近平を引き摺り下ろすことはできなくなった。だから、いまの中国共産党の高官たちは仕方がないから、もうこの国はどうなるかわからないけれど、とにかく習近平についていくしかないという状況に陥っている。

日本の戦略

髙橋　先刻私は、アメリカは酷い国だとこき下ろした。実際にアメリカで暮らしてみて、そう認識したからである。

石平　説得力がある（笑）。

髙橋　だから、そんな酷い国とは、事を荒立てないほうが賢明なのだ。これも持論だが、日米安保条約とは、世界でいちばん酷い国、凶悪な国と仲良くするほうが、自分が安全になる。日本はそれだけの理由で、アメリカと付き合わなければいけない。

決してアメリカがいい国だから、日米安保条約を結んだのではない。その真逆である。アメリカに伍してやろうと突っ張ると、大変な目に遭う。それが、われわれが敗れた太平洋戦争（大東亜戦争）であった。

石平　それでは、日米安保条約は最強の安全保障ということか？

髙橋　そういうことになる。クラスいちばんのいじめっ子で、いちばん喧嘩の強い奴と組んだら、楽に暮らしていける。日本はその〝鉄則〟を守っているだけだ。

石平　実はこの私も、小学・中学時代にこの戦略をとった。私は背が低くて、喧嘩が弱かったけれど、頭はよかった（笑）。安全のために、クラスの総大将とタッグを組んだとたんに、誰もちょっかいを出さなくなった。

髙橋　いちばん強い奴と組むと、いちばん安全。日米安保条約はまったくそれだけのことで、アメリカがよくしてくれるとかは関係なく、敵になるのを回避しているというレベルだと思ったほうがいい。

石平　今後の問題は、世界で2番目に強い中国は、アメリカよりもさらにタチの悪い隣国で、日本古来の領土である尖閣諸島は常に脅かされている。日本に対する侵攻工作もいろいろと進んでいるとされる。この国にはどう対処すればいいのか？

高橋　仕方がないから、いちばん強い奴をそそのかして、退治してもらう（笑）。

石平　これだな（笑）。

高橋　決まっている（笑）。これは安倍さんと一緒。そそのかす。それで、自分たちは何もしていません、と主張する（笑）。これは日本の戦略でもある。

第7章

残酷な中国ビジネスの正体

日本に回帰するビジネス親中の人たち

石平　日本のなかでは、財界が中国との切り離し、デカップリングに難色を示しているし、政治家にも親中派、隠れ親中派が多くいて、このあたりがかなりアメリカとは事情が異なっている。

髙橋　第1章でも言及したが、親中派の経済人はお金儲けがしたいだけで、それもちょっとだけ中国で儲けさせてほしい人たちばかりだ。だから私自身は、思想信条さえ中国に染まらなければいいと割り切っている。

たとえば二階さんを親中派から離すのはけっこう簡単だと思う。これから日本回帰で、日本国内で新たなビジネスが立ち上がってくれれば、あっさりとそちらのほうに切り替わるのではないか。

石平　財界はデカップリングに難色を示しているとはいえ、政治的に難儀な中国にわざわざ出て行ってビジネスをしなくてもいいとわかれば、それでOKだと思う。

中国に親近感を感じる人たちもいる。

髙橋　そういう人もいるかもしれないが、大半はビジネス親中で、お金の話に収斂する。お金の話だから、どこにでもなびくものだ。だから、中国でなくとも日本国内でできることを認識すれば、方向転換するはずだ。

　そのために、先般とりあえず、日本企業の日本回帰に向けての補正予算を組んだ。最初はたった2500億円だけれど、それでまず日本回帰を促す。予算を増やしていけば、次第に盛り上がってきて、中国から引き揚げてくるところが増えてくると思う。単なるビジネスだから。ビジネスとして仕方なく中国に出た企業が、日本に戻れるような環境をつくっていきたい。

　二階さんにしても、はっきり言って、国内観光業が潤えば、それでいいわけだ。たしかに、かつてはインバウンドの中国人客は多かったけれど、いまは、それは望めない。その代わりに、日本人客が日本の観光地に行けば解決できる。だから私は、「Ｇｏ Ｔｏキャンペーン」には批判的な視線ではない。国内で潤えばいい。それが浸透すればいいと思っている。

石平　なるほど。二階さんの親中を止めるには、和歌山に行けばいい。和歌山のパンダを見て、温泉に行けばいいわけだ（笑）。

髙橋　二階さんの地元の和歌山県に、日本人客がたくさん行けばいい。みんな誤解をしているると思う。二階さんは、特に中国人が好きなわけでもなんでもない。ただ単に、観光振興のためにお客が要る、それだけだ。今回もコロナ禍で、逆に「ＧｏＴｏキャンペーン」で日本人客を増やしたほうが楽だとわかれば、変わると思う。

私は親中派の人に対して、ビジネス本位のビジネス親中だと推測しているので、あまり心配はしていない。ただ、中国に思想的にものめりこんでしまうと大変だと、警告をしているだけである。

石平　いまでも依然として、１万４０００社近い日本企業が中国に進出している。たしかに大手企業による脱中国は進んでいる半面、中小企業の中国進出は19年にはむしろ増えている（帝国データバンク調べ）。

髙橋　先にもふれたけれど、中国ビジネスはリスク過剰だ。私がかなり前から予測し、忠告していたことがあった。それは中国に日本企業が会社を設立すると、「社内に共産党委員会をつくれと命じられる」こと。つまり、企業のトップは共産党委員会であり、日本人の董事長や総経理ではないのだ。

だから、株主総会とか親会社なども相手にされない。「共産党委員会から命令を受けるのに、あなたはわざわざ中国にお金を出しますか」という話をしたら、みんなそんなことないだろうと言って、中国に進出した。ところが、実際には現地で共産党委員会をつくらなければならず、そうした痛い経験を積んで、ようやくわかってきた。

石平　ほとんど例外なく、外資企業内部には共産党委員会がある。

髙橋　これができると、お金を出しても日本側が経営権を行使できないことがわかってくる。こうなるとさすがに、これはまずい、と思う。一部の親中マスコミを除き、日本人のビジネス親中の人も認識してきたのではないか。

アントの上場中止、解体に向かう「馬雲帝国」

石平　中国でビジネスをするということの現実が顕わになったのが、アントの上場中止であろう。中国のアリババ集団傘下で、電子決済サービス「アリペイ」運営のアント・グループが上海と香港の両証券取引所での新規上場を延期した。

問題だが、米紙ウォールストリート・ジャーナルによると、習近平が直接、上場中止を決めたという。これは3・6兆円というサウジアラビアの国有石油会社アラムコの上場額を超える史上最高額で注目されていただけに、上場中止の決定は大きな衝撃を与えた。恐らく、中国の金融リスクもさることながら、やはりアリババの創業者馬雲（ばうん）氏に対するメスが入ったとみるべきだ。

そこで習政権の基本姿勢と「馬雲帝国」の運命を予測したい。

第1に民間企業家・民間企業による政府批判・政策批判は許さない。第2に民間企業による金融・基幹産業の支配は許さない。第3に、「馬雲帝国」は今後、企業活動のさまざまな制限を加えられながら、業務縮小・分割・部分的国有化に進む。

実際、早くもその動きは現れている。11月11日には中国最大のネット通販セール「独身の日」が開催され、アリババの取引額は約7兆9200億円に上った。これは前年の取引額の約倍増で、過去最高を更新したにもかかわらず、11日の香港市場では同社株は一時9・8％も急落した。時価総額でいうと1150億ドル余り失ったことになる。なぜか。アントの上場中止が当局によるアリババ解体作戦の第1ステップだとすれば、私はこれを第2ステップだと見ている。

11月10日、国家市場監督管理総局は「プラットフォームビジネスに関する反独占指針案」を発表し、アリババなど大企業によるプラットフォームビジネスの独占を規制する方針を打ち出した。アリババは中国のネット通販市場で6割近いシェアを占め、独占度がきわめて高かった。したがって、上述の「指針案発表」は、アリババを標的にした可能性が高い。市場もそれを察知して11日に最高取引額を挙げたにもかかわらず、株価が急落した。上場停止が1週間ほど前であることを考えると矢継ぎ早に政策を打ってきていることがわかる。おそらく今後もアリババの解体に向けてじわじわと政策を打つことが予想される。

これは中国ビジネスマンや企業家の悲哀を表している。起業家が政権に反抗することなどできない。まな板の上の鯉でしかない、というのが中国の現実なのである。日本の起業家もこの現実を重く受け止めるべきであろう。

大物民間企業家の連行事件が多発

石平　11月13日の新華社によると、習近平は12日に江蘇省南通市で「南通博物苑」を見学、企業家・張謇の展示を参観し、次のように語ったという。

「張謇は民営企業家の見本・学ぶべき先賢だ。改革開放以来、党と国家は民営企業発展の良い条件をつくってあげた。（したがって）民営企業家は先に裕福になっていれば、国家のことを思い、自らの社会的責任を認識し、社会的公益事業に積極的に貢献しなければならない」

張謇は清朝末期の企業家で、企業家にとどまらず社会貢献もした人で、日本でいえば渋沢栄一のような存在だ。しかし、習近平がここで言いたいことは、ようするに民間企業に「金を出せ！」と強要しているのである。今後予想されるのは、習近平のこの発言をもって、各地方政府は民間企業から金の簒奪を始めるであろう。

言うまでもなく各企業は習近平の強要を拒否できるはずもないのだが、もし拒否した場合、何が起きるのか。

習近平が南通博物苑を見学した前日の11日、河北省の優良民間企業「大午集団」創始者・董事長（会長）の孫大午氏と集団幹部20数名が警察によって一斉連行された。容疑は不明。大午集団は、河北省保定市に本社を置く「中国民営企業トップクラス500社」に数えられる大企業で、養鶏や養豚を中心に農業関係で多角経営を行っていた。

　また、17日には、江西省南京市に本社がある大型民営企業「福中集団」の創始者で董事長の楊宗義氏が「不法な資金集め」という容疑で警察に連行された。しかも警察当局の発表によれば、「市民の通報を受けての法的措置」だという乱暴な理由による。福中集団はIT産業を中心とした多角経営の大型民営企業で、前掲のランキングでは90位（2017年）に入っていた。

　ここで重要なのは、2人の企業トップ逮捕の間に、習近平が張謇の話を発表していることである。私はこのタイミングを偶然とは思えない。どう考えても経営者に対する恫喝であり、見せしめだろう。

　しかしより強調したいのは、このような民間企業家の禍は日本企業をはじめとした外資にも及ぶということだ。

高橋流、尖閣諸島の施政権の示しかた

石平　もう1つ、中国の海洋進出の問題だ。好漁場として知られる日本海沖の大和堆で違法中国漁船が、前年より4倍にも急拡大している。静岡大学の楊海英教授は、サ

ンマ、赤珊瑚（さんご）、蟹（かに）等すべて中国に奪われ、日本人の食卓から消えていくと警鐘を鳴らす。日本の領海内の資源が他国の繁栄に利用される事態だが、これはモンゴル人が過去20世紀に経験したことであり、これからは日本人も体験するだろうという。

また尖閣諸島の問題で日本は、台湾と同じような目に遭うかもしれない。日本政府はこれにどう対処するつもりなのだろうか？

たとえば、かつては尖閣に公務員を駐在させる、あるいは尖閣に上陸して調査をするなど、さまざまな形で、尖閣に対する日本の施政権を主張する。

その一方、尖閣で何か日本が行動をとると、中国を刺激して、中国がさらに尖閣周辺に対する行動をエスカレートさせる。それでまた緊張が高まる。だからそこを、できるだけ平穏無事の範囲で留まらせる。そんな意見も多い。

しかしそうなると、中国側の戦略どおりに、徐々に徐々に周辺の海域が、中国のものか日本のものか不透明になってくる。事実、中国海警局の巨大艦船がパトロールと称して、何百日も連続で周辺海域に侵入している。

これではいったい施政権はどこにあるか、外から見てはわからず、中国の思惑にはまった状況だ。私はアメリカが施政権は日本にあると認めていることから、日本政府は明確な形で、尖閣は日本の領土であることを示す行動をとるべきだと考えている。それとも、このまま事なかれ的に進めていくか。日本はどうすればいいのか？

髙橋　政府は何もしていないわけではない。私なども国会議員と施政権の示し方を考えているところだ。

私が提起しているのは、これまでになかったもので、世界共通である「お墓参り」を、尖閣に上陸する〝理由付け〟にするというものである。かつて尖閣には鰹節（かつおぶし）の工場もあったくらいで、お墓がある。だから、お墓参りに行ったらどうかというものだ。毎月でも、月命日に必ず行けばいいのである。そうするとみんなが「えーっ」とか驚くのだが、世界共通であるお墓参りなら、中国側も反対するのは難しい。

もう1つには、議員立法で、尖閣に海洋調査船を出すというものがある。東海大学の山田吉彦（やまだよしひこ）教授あたりが中心になっているものだ。これについても私が提起したのは、調査に行くのは日本人の学者だけでなく、アメリカ人の学者も、中国人の学者も入れる国際調査にすべきだということ。中国人の学者にも調査に来てもらい、尖閣に上陸した際、彼のパスポートにポンと日本国のスタンプを押してしまう。

それで尖閣に調査で上陸するのであれば、そのときにお墓参りも行ってくれと、山田教授たちに頼んである。お墓を整備する名目で、こちらでいろいろ施設をつくれば、施政権になるわけだから。

さらに言うと、２０２０年10月に中国は領有権を主張するために、尖閣のバーチャル博物館を設けたけれど、日本はあんな生易しいものではないもので対抗すべきだと、これまた私が提起していることである。

尖閣にお墓参りに行ったときに、定点カメラをセットしておき、それで中国艦船が領海内に侵入して来たら、「いま入ってきました！」と実況放送すればいい。こういうのが施政権を示す、いちばん簡単なやりかただと思う。要するに、日本が施政権を持っているというのは、そこに定点カメラを置けることだから、その事実を世界に報道すればいい。

こういうやり方が、無難で、すぐにでもできる。だから、こういった知恵を出し合って、すぐに実行に移すべきなのだ。議員立法のなかに、先刻のお墓参りのアイデアも、実はちょっと盛り込んである。

これを当面やると。施政権のアピールとして、とても簡単で効果もある。それで定点カメラで、「中国艦船がいま入ってきました！」と報道したら面白い。島から海上を見ているのだから、どちらに施政権があるか、どちらが侵入者なのかがわかりやすい。

石平　しかも、日本語と中国語の両方で。

髙橋　もちろん！　中国のバーチャルの尖閣博物館は十何ヵ国語を用意しているから、それに対抗するくらいにはしなければいけない。「あんなものは認めません」と日本の官房長官が言っても意味がないから、バーチャルでなく尖閣の実物資料は山ほどあるから、リアルな話をしたほうがいいと、私は思う。その一環として、定点カメラやお墓参りの話があるわけである。

石平　これらは迅速に進めたほうがいい。

尖閣が日本領土である最大の証拠があった

石平　いま、中国は日本に対してジレンマを抱いている。日本を徹底的に怒らせることを、さすがに中国はしたくはない。アメリカとあれほど遣り合っており、しかも日米の視線は台湾に向かっている。だが、日本が何か際どい行動をとれば、それなりのアクションを起こさねばならない。けれども、それが墓参りだったら……。

髙橋 何もできない。中国人のお墓は尖閣にはない。だから、中国はそれを口実に上陸はできない。日本人は鰹節工場を営んで、ずっとあそこに住んでいたから、お墓がある。さらには、それに関する詳細な資料もある。よくよく考えてみれば、尖閣に日本人のお墓があるのは、尖閣が日本領土とする最大の証拠である。

石平 いや、私には初耳だった。尖閣にお墓があるのなら、逆に行かないほうがおかしい。

髙橋 だから私は、日本人の感覚として、「お墓参りに行かないのはけしからん！」と強く訴えているわけである。「世界中のどこでもそうだぞ」とけしかけている。そうしたソフトかつ具体的な方法に、チャンスを見出していかねばならないのではないか。

外務省の人たちなどは、「中国を刺激する」と止めにかかるのだが、「お墓参りで刺激するのか」と私はいつも主張している。「あなたは、ご先祖のお墓参りに行かないのですか?」と。

石平　それでこそ菅政権だ。

髙橋　定点カメラの設置の話に戻すと、中国側は怒るかもしれないが、すぐにでもできると思う。海上保安庁の管轄にして、中国艦船が侵入してきたら、遠隔操作でカメラをそちらに向ければいいだけだ。これさえすれば、施政権は明らかになる。要は、日本が施政権を確保しているときに、できることをきちんとやり遂げる。それに尽きる。

石平　しかも、中国は反発しにくい。

髙橋　そうだ。お墓参りに反発したら、世界から笑われる。国際海洋調査に反発しても、笑いものにされる。東海大学の山田先生には「必ず中国人の学者にも招待状を出してくれ」と言っている。まず、中国は応じないだろう。先刻も言ったが、中国人の学者が尖閣に上陸して、パスポートに日本国のスタンプを押されたらまずい。だから、中国人の学者は参加しないと思うけれど、そうしたら、中国人は来なかったと言えばいいだけの話である。

中国が文句をつけにくい墓参り案

石平 わかった。それでは、われわれは2つのことをやろう。1つは、習近平に感謝しよう。もう1つは、日本人は尖閣諸島に墓参りをしよう。

髙橋 そうそう。墓参り案は我ながら、とても良くできたアイデアだった。実は最初は冗談で言っていたのだけれど、山田教授が自民党に話を持っていったら、「これで行こう」ということになった。

石平 いや、ものすごく合理的、かつ至極当たり前のことだ。

髙橋 そして、しかも中国が文句をつけにくい（笑）。

石平 いや、人民日報が1面で掲載するかもしれない（笑）。

髙橋 「日本人の墓参り、けしからーん！」。そう騒いでくれたら、いちばんいい（笑）。きちんとした資料も残っているし、誰が誰をどういうふうに埋葬したかまでクリアになっていると聞いている。これは非常にいい話であるし、これをチャンスにしない手はない。

いまは「尖閣に行ってはならない」と日本国政府のほうが、島民の人でも尖閣に立ち入り禁止という行政上の措置を行っている。それ自体がおかしいので、お墓参りを掲げて、禁止措置を〝突破〟するわけだ。

それを逆に禁止したら、日本国政府は叩かれるだろう。常識的な風習を禁じるのだから。８月などはお盆の季節だから、ちょうどいいのではないか。

これまでときどき、政府に関係のない日本人が船で、尖閣のそばまで行ったりしていたが、これからはあまりやらないほうがいい。あれをやると、海上保安庁の人が大変なのだ。日本人を守らなければならず、そちらに猛烈なエネルギーを奪われ、その隙（すき）に中国艦船が入って来るかもしれない。あまり海上保安庁に負担をかけることは、私はやらないほうがいいと思う。

それだったら、お墓参りのほうがいいのではないか。

終章

親中派「バイデン大統領」にどうする日本

習近平のカウンターパートだったバイデン

髙橋 大統領選挙後も、トランプが敗北宣言をせず、トランプ支持者が気勢をあげるなど、予断を許さない展開が続いている。私がアメリカ人の友人に「今回の大統領選も面白かったが、その後も引き続き面白いな」と言うと、「おまえはまったくもう、人の国だからと思って」と苦笑していた。

しかし日本から見ると、バイデンが大統領になるより、トランプが再選されるほうが、はるかに有利に立ち回れる。それは安倍さんとトランプとの関係の良さを有効に使えるのに対し、バイデンになるとまったくの白紙状態に戻ってしまうからだ。もっとも、日本も安倍政権から菅政権になったので、日米ともに新しい人で、バイデンというのも日本に悪くはないとも思っている。

本章においては、法廷闘争でも選挙結果が覆らずバイデン大統領が誕生すると仮定し、新政権が今後どのような影響をもたらすのか、石平さんが政治面、私が経済面を一気に語ることとする。

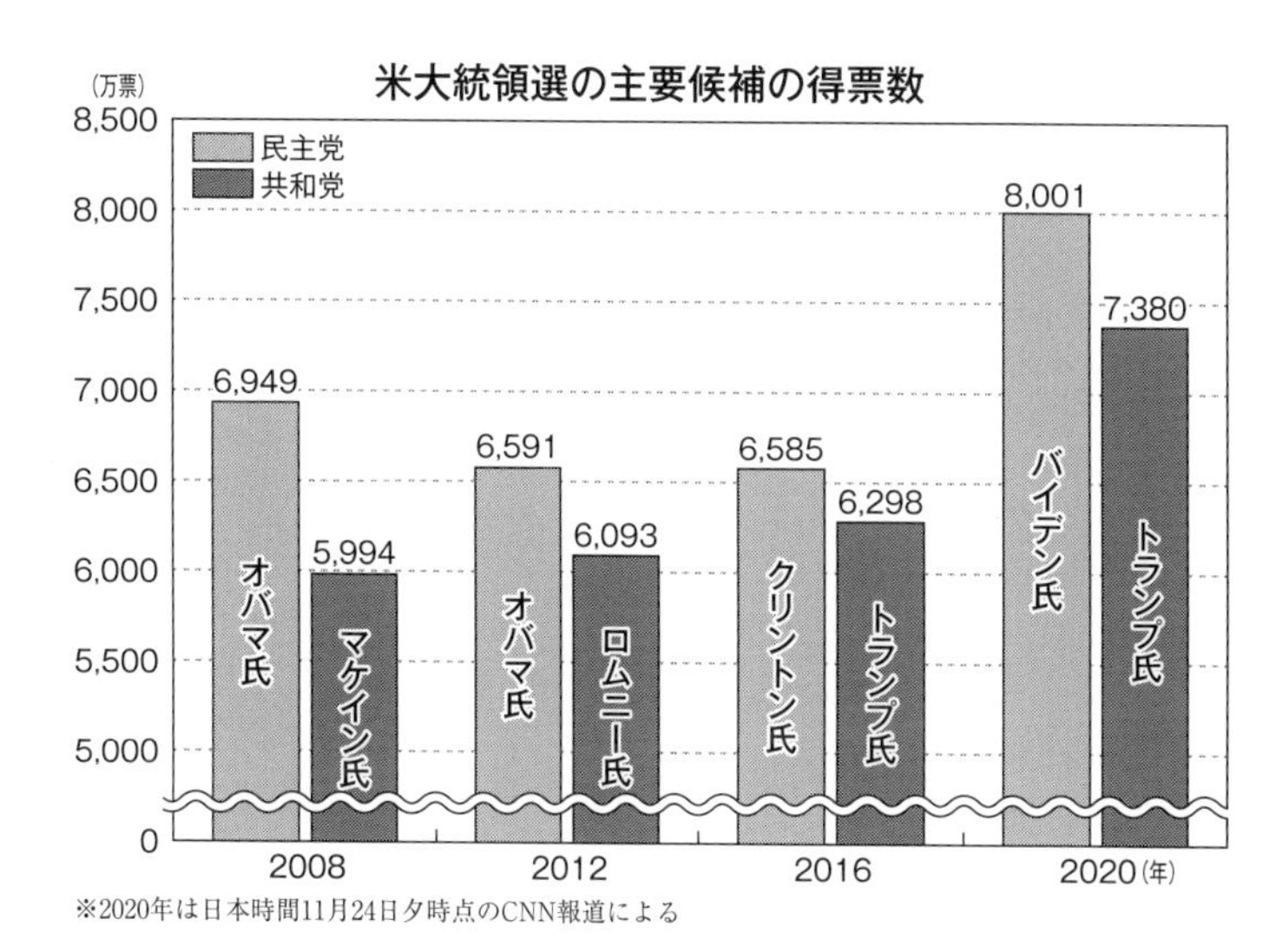

※2020年は日本時間11月24日夕時点のCNN報道による

石平　われわれには不本意ながら、バイデン大統領が誕生しそうな気配が濃厚である。11月12日に菅首相は、大統領選で当選確実にしたバイデン前副大統領と、電話で協議した。ここで菅首相は、予想以上の成果を得た。日本防衛の義務を定めた日米安全保障条約第5条が尖閣諸島にも〝適用〟される、との明言をバイデンから引き出したからだ。

　だが、このままバイデンが大統領に就任するとなると、私の感触では、台湾には不利に働き、逆に中国は有利になるのではないか。その最大の理由は、習近平とバイデンが「旧知の仲」

であり、習近平の援護射撃をした〝前科〟を持つからである。その経緯を時系列で取り上げてみよう。

〈2011年8月17日～22日〉

バイデン副大統領（当時）は中国を訪問し、6日間という異例の長きにわたり、中国に滞在した。中国側のカウンターパートは、当時副主席だった習近平であった。長時間にわたる会談後、習近平はバイデンの四川省訪問に同伴し、濃密な時間を共有した。ホワイトハウス高官は、「まったくメモなしで、さまざまな話題を縦横無尽に話し合った」と伝えた。

バイデン副大統領はその後、日本に立ち寄り、菅直人首相（当時）にこう語った。

「米中の対話を深め、習近平副主席との関係を深める機会になった」

ここに気心の通じ合う、習近平・バイデンの癒着関係が始まった。

〈2012年2月13日～17日〉

今度は、習近平副主席（当時）夫妻がアメリカを訪問、5日間にわたり滞在した。国務省の役人が出迎える慣例になっているのを、バイデン副大統領（当時）夫妻が空港で出迎え、異例の厚遇となった。バイデン夫妻は習夫妻を晩餐会に招待したのに加え、西海岸訪問に同伴し、再び濃密な時間を共有した。中国メディアは、「未来に向かって、米中指導者の信頼関係の強化がなされた」と評価した。

〈2013年11月3日〉

習近平政権が東シナ海上空で防空識別圏を設定、政権成立後の軍事冒険の第一歩を踏み出した。

〈2013年12月3日〉

バイデン副大統領（当時）が訪日。安倍首相は中国に防空識別圏の設定を撤回させるよう要請したが、バイデンはそれを断わり、日米共同声明の提案も拒んだ。

〈2013年12月4日〉

民主党の海江田（かいえだ）万里（ばんり）議員と会談したバイデンが、「日本は、習近平国家主席に面倒をかけてはならない」と発言したことを、中国メディアが一斉に報道した。

同日、北京において、バイデン・習会談が行われた。中国の防空識別圏について、バイデンは「懸念」を表明したにとどまり、抗議も撤回要求もしなかった。またそれについて、記者団の前では一切言及しなかった。つまり、中国の防空識別圏を事実上容認し、習近平の軍事的冒険に助け舟を出したわけである。

特に私が衝撃を受けたのは、「日本は、習近平主席に面倒をかけてはならない」とバイデンが発言したことで、これはまるで習近平が〝身内〟になったかのような物言いである。

それで味をしめた習近平は、東シナ海、南シナ海はじめ、あちこちで軍事的拡張を開始した。結果的に、バイデンが中国の軍事膨張をアシストしたことになる。

このバイデン訪中は、家族を引き連れてのものであった。またその1人が、いま話題になっている前妻との間に生まれた次男、ハンター・バイデンであった。

中国による「バイデン買収」疑惑

石平　2017年、ハンター・バイデンは、エネルギー関連企業の「中国華信源」と投資ベンチャーを立ち上げる協議を行った。

そのときハンターは、「中国華信源」から新会社の会長あるいは副会長に就任し、多額の報酬を受け取る約束と、新規発行株式の10%を、ある「Big guy（大物）」のために確保する約束を取り付けたとされる。

「Big guy（大物）」はジョー・バイデンを指すと、ＦＯＸニュースは報じた。

こうした経緯を踏まえて、私が危惧する「バイデン政権」下で起きるかもしれないことを列挙してみた。

バイデンは選挙期間中、中国製品に対する制裁関税の全面撤廃を明言したことから、経済政策において、トランプ政権とは明らかに異なる対中政策をとってくるだろう。なかでも、ファーウェイその他中国企業に対する禁輸措置を解除する用意があるといわれ、中国経済を救済する恐れがある。

さらに、バイデン政権は、トランプ政権下で合意したＱｕａｄ（日米豪印の対中国連携）からの離脱を図り、中国包囲網を〝内部〟から崩すかもしれない。大統領就任後に訪中し、「米中関係正常化」を宣言、習近平・バイデン蜜月時代の開始も考えられる。

仮にこうなれば、オバマ政権時代への揺り戻しと、21世紀版「宥和政策」が展開されよう。１９３０年代後半、イギリスのチェンバレン首相は台頭してきたナチスドイツに対し、宥和政策をとった。その結果、ナチスドイツのポーランド侵攻を許してしまい、第2次世界大戦へとつながった。のちにチャーチル首相は、「宥和策ではなく、早い段階でナチスを叩き潰していれば、その後のホロコーストもなかったはずだ」とチェンバレンの宥和政策の失敗を責めた。

21世紀の宥和政策を行うバイデンは、第2のチェンバレンとなる可能性を秘めている。

また、私が恐れているのは、バイデン政権が、トランプ政権が約束した台湾への攻撃性武器売却の取り消しを行うことである。

習近平が台湾攻撃を躊躇（ちゅうちょ）する最大の要因は、アメリカ軍の参戦の脅威にほかならない。これが取り除かれるのなら、すぐに台湾に攻め込むであろう。

習近平がバイデン大統領から「台湾有事に際して、アメリカ軍が動かない」という暗黙の合意を取り付ける可能性があるかもしれない。

バイデンと習近平の9年間にわたる癒着関係を考えると、これらの懸念はまったくの絵空事とは断じ切れない。大統領が命令を出さなければ、アメリカ軍は動けない。中国軍が台湾に対する限定的な軍事行動に踏み切り、力ずくで台湾をねじ伏せてくる可能性は否定できない。

加えて、心配なのは、やはり香港だ。11月23日にデモ扇動罪として、民主活動家の周庭氏、黄之鋒氏、林朗彦氏ら3人の公判で、保釈の継続を認めず、3人を即日収監した。量刑は12月2日に言い渡される。香港国家安全維持法の強行で四面楚歌となった習政権はまず、TPPにでも加入して中国市場を全面的に開放するという「餌」を撒いてから、3名の収監に踏み切って西側の反応を試そうとしている。もし西側がこのまま目を瞑っていれば周庭さんらは重刑を免れない。これは「緊急事態だ！」と声を大にして言いたい。

習近平のTPP参加表明はすべてを中国のルールに変える意思表示

髙橋　石平さんからTPPの話が出たので、ちょっと説明をしておきたい。

11月20日、RCEP（東アジア地域包括的経済連携）協定に署名した中国の習近平国家主席はその直後、TPP（環太平洋経済連携協定）への参加についても、「前向きに検討する」と表明、波紋を広げている。

いまのTPPのルールのままであれば、中国は絶対と言っていいほど参加はできない。けれども、私の受け止めを申し上げると、中国はアメリカのいない間にTP

Ｐに参加して、ＴＰＰを乗っ取り、ＴＰＰのルールを中国のルールに変える。そういう意味にしか捉えられない。

とにかくいまのルールのままでは、資本の自由化や国有企業改革などの条項が入っているので、中国の体制ではまったく無理なのだ。たとえば中国が資本の自由化を許したら、生産手段の国有化という共産主義の大義名分は完全に吹っ飛んでしまうからである。つまり、共産主義国家ではなくなってしまう。国有企業改革についても、そんなことをしたら、習近平の求心力は瞬く間に弛緩（しかん）してしまうわけだ。

実は中国が絶対に受け入れられない条項をわざわざ入れているのがＴＰＰなのである。それなのにあえて中国がＴＰＰ参加の意志を表明したことについて、日本のマスコミがミスリードし、単なるモノの貿易にすぎないＦＴＡやＥＰＡとはまったく異なる種類の貿易協定であるＴＰＰを、同格に扱っているのはまずい。

貿易協定とは経済協定であり、中国がＴＰＰに入ってこようとすること自体、論理的にあり得ない。

したがって私には、本当は鬼の居ぬ間、アメリカの居ぬ間に参加して、「すべて中国のルールに変えてやるぞ」という意思表示にしか受け取れない。

それでは中国にはＴＰＰに加入できる成算はあるのか。ブルネイ、シンガポール、マレーシア、ベトナムあたりに対して、中国は軍事力を使って押さえつけるのだと思っている。カナダあたりは無理だろうが、軍事力でＴＰＰ参加国をどんどん落としていくはずだ。しかしながら、こうした中国のふるまいは国際社会の半ば常識なのである。

アメリカはバイデン政権になればＴＰＰに戻って来る可能性は高い。だが、中国がＴＰＰに入るのを見越して、いまのうちに、中国よりも先にイギリスと台湾をＴＰＰに加入させるべきだと、私は訴えておきたい。

懸念材料は「円高」

髙橋　米大統領選は11月13日、最後まで大勢が判明していなかった2州で勝者が確定し、選挙人獲得数は民主党のバイデンが３０６人、共和党のトランプが２３２人となった。すでにバイデンは勝利宣言したが、トランプは法定闘争する構えを崩していない。

菅首相をはじめとする各国の指導者は祝意をバイデンに伝え、各マーケットもバイデン勝利を折り込みつつある反応だ。トランプの提訴がどこまで取り上げられるか不透明であるとともに、一定の州で規定どおりに再集計するとしても、これまでの歴史を見るかぎり、覆る可能性は低いからである。

いずれにしても、郵便投票は古くからアメリカで実施されてきた方法であり、トランプの主張を裏付ける決定的な証拠が出てくれば別であるが、そうでもないかぎり、今回は違法という司法判断が出る可能性もそれほど高くはないだろう。

そこで、法廷闘争でトランプが勝てなかった場合、日本にも影響のあるバイデン政権の経済政策はどうなるのか、考察してみたい。

バイデン政権になっても、上院では共和党優勢、下院で民主党優勢という「ねじれ状態」は変わりない。伝統的に、民主党は「大きな政府」の指向なので、トランプ政権と比べると、歳出圧力はやや大きくなるだろう。問題はねじれ状態で合意の可能性であるが、バイデンは中道なので、景気刺激策は両院でまとまる可能性が高い。

その結果、ＦＲＢ（連邦準備理事会）に対するバランスシート拡張への圧力は、より一層強まるだろう。ただし、本書で解説してきたとおり、いまはコロナ下で需要消失期であり、インフレが激しくなる危険性はない。FRBは、この圧力はそれほど苦にしないと考えられる。特に、バイデン政権では、財務長官に元FRB議長のイエレンが就任すると、このシナリオは現実味を帯びてくる。

ここで日本経済にとり懸念材料になるのは「円高」であろう。実際、為替市場では、かなり前からバイデン政権を織り込み、それが1つの要因となって、円高が徐々に進行している。この動きは、ちょっとイヤな予感がする。何かの拍子に、1ドル100円を突破することもあり得なくはない。

為替は、短期的な動きは思惑で左右されるが、中長期的には、2国間の「金融政策の差」で決まる。為替が2国間の通貨の交換レートであることから、2国の通貨量の比率で決めるのが、もっとも自然だからだ。

日本に比べ、アメリカの金融政策はより「強い緩和」になることを市場は予想している。つまり、ドルが相対的に円に比べて多くなり、相対的に多いものの価値は安くなるので、円高傾向になるわけだ。

日米間で見ると、日本は2016年9月からイールドカーブコントロールで、長期金利を一定にしているが、量的緩和からみれば、力不足は否めない。イールドカーブの前には、年80兆円増のペースでバランスシート拡大をしてきたが、イールドカーブコントロールになってからは年30兆円へとペースダウンした。

一方、アメリカの金融緩和は一度「出口」を迎えようとしたが、コロナ危機でバランスシートは急拡大している。こうした要因が、今後の円高傾向を後押ししている。場合によっては、さらに円高が加速する可能性もある。

第3次補正は30～40兆円規模にすべき

高橋　いまの日銀のイールドカーブコントロールを前提とするかぎり、財政のほうで国債を大量発行しないと、適切な金融緩和にならない。したがって、円高を止めるためには、コロナ対策により第3次補正を「国債発行」にするしか、いまのところ方法がない。

内閣府が発表した7－9月期GDPは前の3ヵ月と比べてプラス5・0％、年率に換算してプラス21・4％と、ほぼ私の予想したとおりの数字だった。しかし、こ

潜在GDPとGDP（兆円）の推移

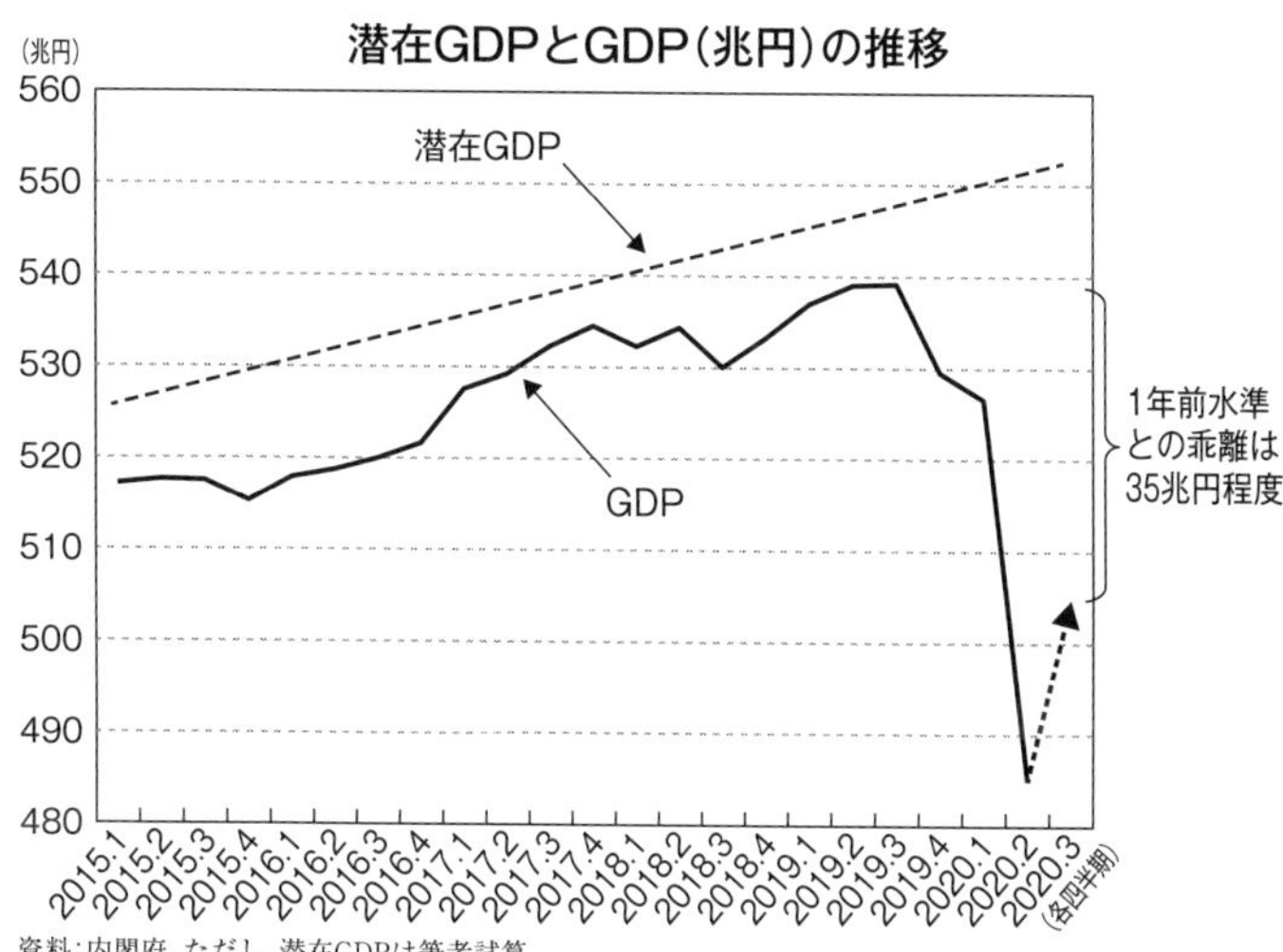

資料：内閣府、ただし、潜在GDPは筆者試算

れは、株式相場用語で言うところのデッド・キャット・バウンス（dead cat bounce）だ。あえて直訳すると、死んだ猫でも地面に叩きつけると少し跳ねる、といった意味だ。あまり上品な表現ではないが、英語ではたしかにそういう表現がある。

デッド・キャット・バウンスの場合、そのまま数値が順調に伸びていくことはない。私を含む多くの日本のエコノミストの見立てでは、今後の日本のGDPは小さなデッド・キャット・バウンスを示したあと、伸び悩むだろう。

この状況は、数学のルート記号をひっくり返した形状「逆ルート字回復」

コロナショック（横）と財政支出（縦）
（OECD、G20諸国、ともに対GDP比）

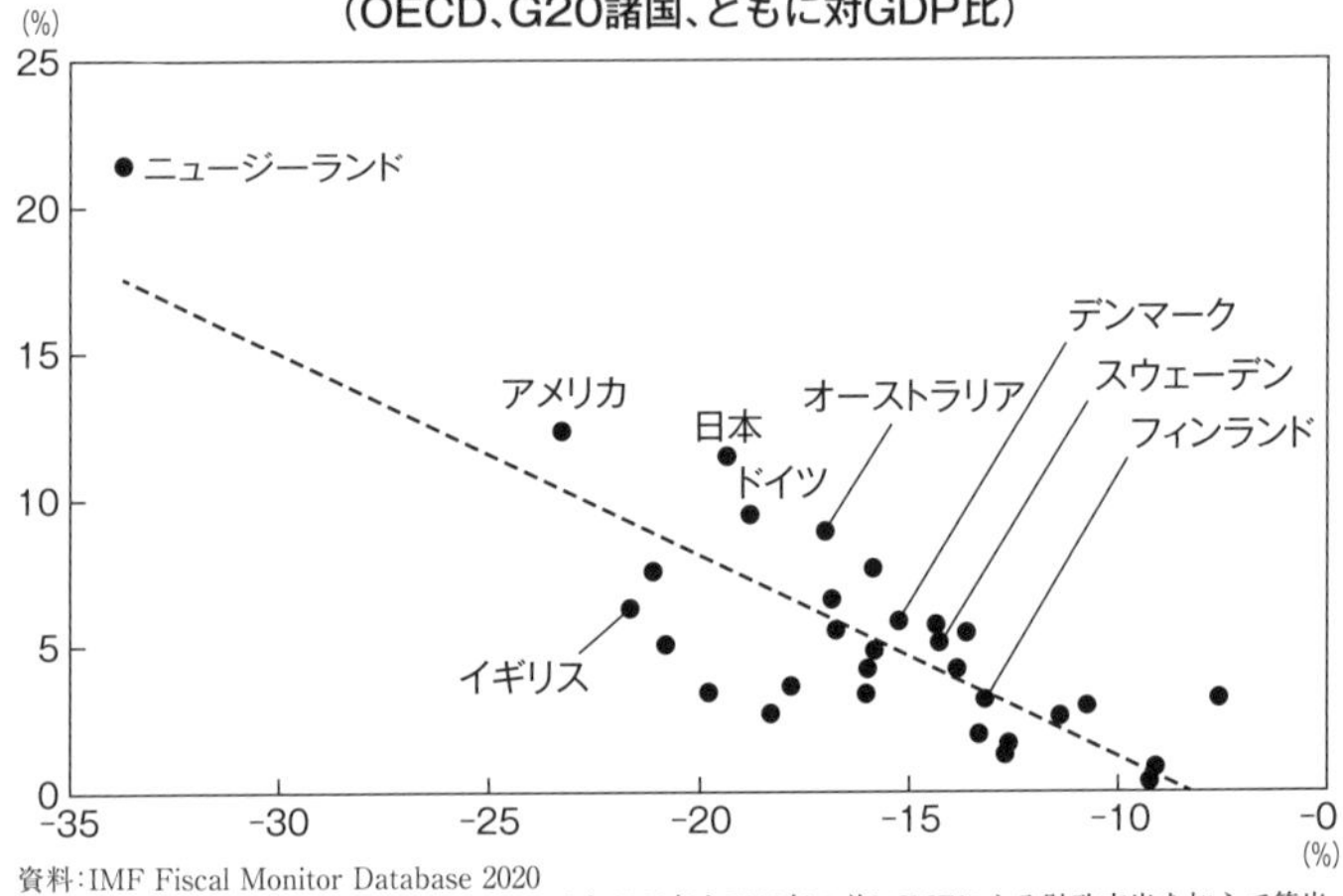

資料：IMF Fiscal Monitor Database 2020
OECD Economic Outlook 2020.06 により2020年と2019年の差にIMFによる財政支出を加えて算出

と言われている。この「逆ルート字回復」では、7－9月期の前期比伸び率はプラスだがそれほど大きくなく、10－12月期の前期比伸び率も芳しくないものと推測される。

いまのコロナの拡大状況を考えると、10－12月期には、再びマイナスになる可能性すらある。第3次補正として、1年前のGDPに戻すことを考えるならば、30～40兆円規模が必要であろう。

自民党から15兆円程度という数字が出たあと、世耕弘成（せこうひろしげ）参院幹事長から、第3次補正予算案に関し「30兆円ぐらいの真水があってもいい」と語ったのは、マクロ経済から見るかぎり、妥当な数字である。これだ

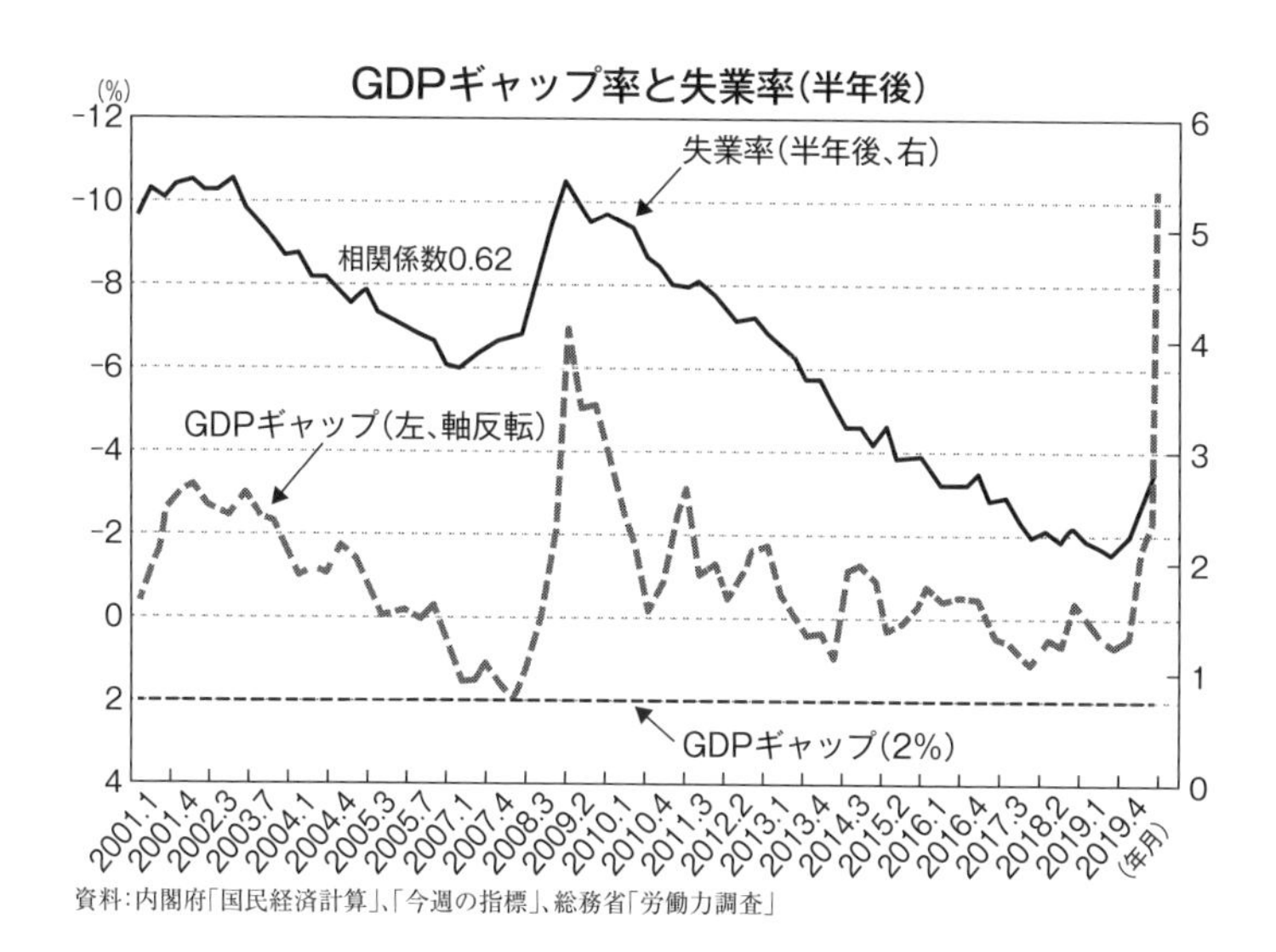

資料:内閣府「国民経済計算」、「今週の指標」、総務省「労働力調査」

けの有効需要をつくるには、個別分野の財政出動とともに、減税・給付金のような「バラマキ」も行ったほうがいい。

もし、これだけの「真水」が用意できないと、GDPギャップが残り、半年程度後に失業率の上昇という形で代償を支払うことになるだろう。失業率は半年程度前のGDPギャップに大きく依存している。GDPギャップが大きいと失業率が高くなる傾向がある。

上で述べたように、7－9月期GDPは前期比で4～5%のプラスになるが、それでもGDPギャップは内閣府の定義によるとしても6%程度は残ると思われる。

あり得ない仮定だが、仮に第3次をしないまま経済の自律回復もないと、これまでの傾向を単純にあてはめると、いずれ失業率は5～6％になっても不思議ではない。いま3％なので、120～180万人の雇用が失われるかもしれない。

また、これだけ国債を発行すると、財政事情が心配になるかもしれないが、それは〝無用〟だ。イールドカーブコントロールの下で、日銀は補正予算で発行された国債をほとんど市中から購入するはずだ。これまでの1次と2次補正予算でも、発行された60兆円のほとんどは日銀が購入してきた。

それでも、インフレ目標にはほど遠く、10月29日の日銀の物価見通しでも、デフレ圧力が強いことがわかる。日銀政策委員の見通しで7月時点と比べ、2020年度の消費者物価指数（除く生鮮食品）伸び率も▲0・5％から▲0・6％へとそれぞれ下方修正され、インフレ目標をオーバーする可能性はまずない。この点から、コロナショックでは、米欧ともに、政府が大量国債を発行し、中央銀行が購入するというスタイルが一般的になっている。日本だけが政府の国債発行と中央銀行の買い入れをやっているわけではないので、安心していい。

これらの数値は、コロナショックが「需要ショック」であることを示している。なお、この点、国内外の著名なエコノミストの何人かは、コロナショックが需要ではなく供給ショックであると間違いを犯していた。

また、私はインタビューやコラムなどで再三繰り返してきたが、日銀が保有した国債について、利払い費と償還費の負担はない。というのは、政府は日銀にも保有国債分に対する利払いをするが、日銀はカネを刷って国債を購入するので、利払い費は原則すべて日銀の利益になり、それは納付金（税外収入）となって、政府に戻ってくるからだ。

また、日銀が保有する国債については、乗り換えが可能であるので、償還負担もない。要するに、インフレ目標の範囲内であれば、日銀が保有する国債は国債残高から〝相殺〟して考えてもよく、将来世代に負担をかけるものでないと考えていい。

以上の考察は、バイデン政権になると、第3次補正について30〜40兆円規模でないと、半年後の失業増を招くとともに、さらなる円高を招き、さらに日本経済が苦境に陥ることを示唆している。

おわりに――20年間、コア・インタレストの獲得を進めてきた中国

中国は2019年に建国70年を迎えた。この先2021年には中国共産党結党100周年、2049年には建国100周年を迎える。正直に申し上げると、私自身はかなり前から、現在の中国の姿を予測していた。

2000年代の初頭、中国側が発表したさまざまな論文のなかに、「コア・インタレスト（核心的利益）の獲得」という言葉が何度も登場していたからだ。それらの論文は、コア・インタレストをキーワードに置くと、今後の中国の構想のほとんどを読み解くことができたのである。

中国のコア・インタレストとして、具体的にチベット、ウイグル、南シナ海、香港、台湾、尖閣（せんかく）と記されていたことから、当時の私は、そういう順番に〝料理〟していくのかなと推測していた。

ウイグルとチベットについてのプロジェクトは、本格的に動き出すはるか前から、密

かに進められていた。おそらく、一党独裁の中国共産党は、漢民族による他民族の完全支配を行うため、各民族独自の文化や宗教に対する弾圧を決して緩めないと私は思っていたが、やはりそのとおりの政策を打ってきた。

南シナ海への進出については、前出の論文が出た当時には明確な動きはなかったけれど、その後、強烈にやりだして、あっという間に人工島を建造してしまった。

そして、次に中国は、香港を潰しにかかった。私は中国への返還時点から、香港の「一国二制度」の話など、中国はすぐに〝反故〟にしてしまうのだろうと予測していた。なぜなら、かなり前に中国の国内法の文献を調べていたところ、香港問題に関しては「完全に国内法で処理する」と記されていたのを確認したからだ。

したがって、「一国二制度は絶対に嘘だ。香港が壊れるのは時間の問題」と思っていたら、そのとおりになった。よって、中国の攻勢は、香港の次は台湾、尖閣と続く可能性は十分にあると見ている。

絶対に譲れないコア・インタレストを論文で発表し、その獲得をこの20年間、包み隠さず平気で〝実現〟してきた中国の姿を見て来た私には、ここにきての中国のビヘイビアに対して、そんなに違和感を抱くことはなかった。

　これまで私は、中国が算出するＧＤＰ値は「偽造」であると繰り返し説いてきた。その理由は山ほどあるが、そもそも論から申せば、旧ソ連の手法を真似て、中央集権的な統計組織（中国国家統計局）をつくったからであった。中央集権的な統計組織は何となく効率的なように見えるけれど、それは逆で、実際には集中管理しているからこそ、統計数字の〝改竄〟が容易くできるのだ。

　何よりも、社会主義の大先輩である旧ソ連の指導者や官僚が、共産党一党独裁と彼らの保身のために、驚きの統計捏造を続け、その事実は旧ソ連が崩壊するまで明らかにされなかった。

　正しいＧＤＰ値を算出するための最大のポイントは、きちんとした網羅的な失業統計を出し続けることにほかならない。これは先進国の常識となっているが、当然ながら、中国にはない。中国当局は失業統計を、ごく一部の都市部の推計のみで、都合よくこしらえてきた。だから、四半世紀も中国の失業率はずっと4％前後に貼り付いている。

　だが、中国にもまともなエコノミストがいた。２０２０年4月末、中泰証券研究所の李訊雷所長が、すでに中国国内の失業者は７０００万人超で、失業率は20・5％にのぼると発表したのだ。おそらくこちらの数字のほうが、中国の実状に沿っているのであろう。

毎年公表される失業率4％と李所長が失職覚悟で発表した20・5％。どちらが正しいかは、中国当局が網羅的な失業統計を出していないので、私はおそらくとしか言えないが……。だが、はっきりと言えるのは、国家が正確な統計データを持っていなければ、国の進路を誤らない政策を〝打ち出せない〟ことである。

2020年2月28日、中国の国家統計局は「2019年の1人当たりのGDPは7万892元、ドル換算で1万ドルの大台を初めて突破した」と誇らしげに発表した。明らかにインチキであると、先進国のまともなエコノミストは捉えたはずである。

李克強首相の「中国の6億人が月収1000元（1万5000円）に喘いでいる」発言などを織り込み勘案すると、実際の中国の1人当たりのGDPは、最悪の場合、話半分という喩えとして半分の5000ドル程度ではないか。私はそう見立てている。

これまで1人当たりGDP1万ドルを超えた国の経験則で見ると、1万ドル超えのためには、当然、経済が発展しなければならない。外国からの資本注入などは必至だ。そのためには何らかの〝政治的ブレイクスルー〟が不可欠である。

1万ドル超国家のパターンは、揃って「政治的な自由の確保→経済的な自由の確保→経済発展の実現」であった。つまり、中国共産党の一党支配の維持を最大の目標に掲げる、要は政治システムを変える気のない中国では無理なのである。

ブレイクスルーができなければ、当然ながら経済が行き詰まり、他国からさまざまな技術を盗んだり、拝借したりで、急場を凌ぐほかはない。つまり、現在の中国の姿そのものである。

ただし私の計算によれば、中国は案外にしぶとくて、正味、1人当たりGDP1万ドルに到達する程度まで何とか持ちこたえてしまう。だが、1万ドルに到達するあたりで、誤魔化しに誤魔化してきた失業者の洪水に、中国は見舞われると読んでいる。そこでようやく社会不安がマックスに達し、積もり積もった矛盾が全面的に噴出し、旧ソ連のような国家破綻に直面する。

実際の中国の実力は5000ドル程度に見込まれることから、まだまだそのときは訪れない。皮肉にも、いままで中国が統計数字を偽造してきたから、嘘をついてきたから、まだGDPが伸びる余地が残されているからだ。当分は誤魔化していても、国家が潰れるような事態にはならないであろう。そうすると、私の目が黒いうちには、惨めな中国の姿は見られない。

残念ながら、以上が中国の実態である。詳しくは本文をお読みいただきたい。

本書は、中国問題の碩学(せきがく)、石平氏との対談の第2弾である。石氏の、歴史を含めて中国に関する造詣(ぞうけい)の深さと、中国共産党に対する憎しみの激しさを、あらためて感じた次第である。

髙橋洋一

2020年12月

【著者プロフィール】

髙橋洋一（たかはし　よういち）
株式会社政策工房代表取締役会長、嘉悦大学教授。1955年、東京都生まれ。都立小石川高等学校（現・都立小石川中等教育学校）を経て、東京大学理学部数学科・経済学部経済学科卒業。博士（政策研究）。1980年に大蔵省（現・財務省）入省。大蔵省理財局資金企画室長、プリンストン大学客員研究員、内閣府参事官（経済財政諮問会議特命室）、内閣参事官（首相官邸）等を歴任。小泉内閣・第一次安倍内閣ではブレーンとして活躍。2008年、『さらば財務省』（講談社）で第17回山本七平賞受賞。20年、菅内閣で内閣官房参与に就任。主な著書に『「バカ」を一撃で倒すニッポンの大正解』『めった斬り平成経済史』（いずれもビジネス社）、『正しい「未来予測」のための武器になる数学アタマのつくり方』（マガジンハウス）、『FACTを基に日本を正しく読み解く方法』（扶桑社）など多数。

石　平（せき　へい）
1962年中国四川省成都市生まれ。80年北京大学哲学部入学。83年頃毛沢東暴政の再来を防ぐためと、中国民主化運動に情熱を傾ける。同大学卒業後、四川大学哲学部講師を経て、88年留学のために来日。89年天安門事件をきっかけに中国と「精神的決別」。95年神戸大学大学院文化学研究科博士課程修了。民間研究機関に勤務。02年『なぜ中国人は日本人を憎むのか』を刊行して中国における反日感情の高まりについて先見的な警告を発して以来、日中問題・中国問題を中心に評論活動に入り、執筆、講演・テレビ出演などの言論活動を展開。07年末日本国籍に帰化。14年『なぜ中国から離れると日本はうまくいくのか』（PHP研究所）で第23回山本七平賞を受賞。主な著書に『世界史に記録される2020年の真実 内憂外患、四面楚歌の習近平独裁』（ビジネス社）、『石平の眼 日本の風景と美』（ワック）など多数。

天国と地獄に向かう世界

2021年1月1日　第1刷発行

著　者　髙橋洋一　石平
発行者　唐津　隆
発行所　株式会社ビジネス社
〒162-0805　東京都新宿区矢来町114番地
神楽坂高橋ビル5F
電話　03-5227-1602　FAX 03-5227-1603
URL　http://www.business-sha.co.jp/

〈編集協力〉加藤　紘
〈カバーデザイン〉中村　聡
〈本文DTP〉メディアネット
〈印刷・製本〉モリモト印刷株式会社
〈編集担当〉佐藤春生〈営業担当〉山口健志

ISBN978-4-8284-2245-9